Юрий Поляков

Парижская
любовь
Кости
Гуманкова

аст
ИЗДАТЕЛЬСТВО
Астрель
Москва

УДК   821.161.1-31
ББК   84(2Рос=Рус)6
      П 54

Оформление
дизайн-студии «Графит»

Поляков, Ю.

П 54   Парижская любовь Кости Гуманкова/ Юрий Поляков. —
М.: Астрель: АСT, 2008. – 255, [1] с. – (Геометрия любви).

ISBN 978-5-17-054343-4 (ООО «Издательство АСT»)
ISBN 978-5-271-21205-5 (ООО «Издательство Астрель»)

«Парижская любовь Кости Гуманкова» — веселая и грустная история о вожделенной поездке в Париж и о том, как этот прекрасный город повлиял на советских туристов, охваченных приобретательским азартом. А любовь, которая так внезапно поразила главного героя, стала главным наваждением его жизни.

УДК 821.161.1-31
ББК 84(2Рос=Рус)6

Подписано в печать 03.09.2008. Формат 84x108¹/₃₂.
Гарнитура «Академи». Печать офсетная. Усл. печ. л. 13,4.
Тираж 5 000 экз. Заказ № 8624.

Общероссийский классификатор продукции ОК-005-93,
том 2; 953000 – книги, брошюры.

Санитарно-эпидемиологическое заключение
№ 77.99.60.953.Д.007027.06.07 от 20.06.2007 г.

ISBN 978-5-17-054343-4
(ООО «Издательство АСT»)
ISBN 978-5-271-21205-5
(ООО «Издательство Астрель»)

ПАРИЖСКАЯ ЛЮБОВЬ
КОСТИ ГУМАНКОВА

Роман

...Вы про Париж хотели,
да на розги съехали.
Где же тут Париж?

Федор Достоевский.
*«Зимние заметки о летних
впечатлениях»*

1

Наш пивной бар называется «Рыгалето», хотя на самом деле он никак не называется, а просто на железной стене возле двери можно разобрать полустершуюся трафаретную надпись:

Павильон № 27

Часы работы: 10.00 — 20.00

Перерыв с 13.00 до 14.00

Выходной день — воскресенье

Павильон! Это мы умеем: вонючую пивнушку назвать павильоном, душную утробу автобуса — салоном, сарай с ободранным киноэкраном — Дворцом культуры. Павильон... Его сооружали прямо на моих глазах: варили из металлических труб и листового железа, а потом красили в ненавязчивый серый цвет. Но тогда никто и не догадывался, что это будет пивная! Думали, ну — вторсырье, ну — в лучшем случае, овощная палатка. Даже спорили на бутылку, но никто не выиграл, никому даже в голову не залетало: ПИВНОЙ ПАВИЛЬОН!

А происходило все это пятнадцать, нет, уже шестнадцать годиков назад. Я только-только окончил институт и распределился в только-только созданный вычислительный центр «Алгоритм». Если помните, страна в то время переживала эпоху всеобщего «асучивания», и казалось, наконец-то найдено совершенное и безотказное средство против нашего необоримого бардака: мол, ЭВМ не проведешь и не обманешь! Потом выяснилось, что для нашего бардака компьютеризация — то же самое, что накладная грудь и косметика для неудавшейся женщины... Но это поняли потом. А тогда мы шли в компьютеризацию, как в революцию, — с гордо задранной головой, бездумно-восторженным взором и лютой верой в скорую победу.

Первым весть о пивной, будто бы открывающейся в железном сооружении, принес Букин, наш местный алгоритмовский правдоискатель, отдававший все силы делу борьбы за справедливость, разумеется в рамках господствующего беззакония. К тому же, страдая почками, он абсолютно не пил — и это придавало его деятельности оттенок мученичества.

— Поздравляю! — горько сказал Букин, входя в машинный зал. — Будет пивная. Я видел, как разгружали автоматы!

— Ура-а! — завопили мы, вскочив со своих мест.

— Чего — ура?! — затрясся наш правдолюб. — Будет вам теперь — «Все об АСУ»...

Мы дружно заржали, ибо второй, сокровенный, смысл названия этого популярного в те годы справочника являлся предметом издевательств для целого поколения программистов. Но конечно, тревога Букина была обоснована: жил он от «Рыгалето» неподалеку, а во что превращаются подъезды домов вблизи пивных точек — общеизвестно. Но нам, молодым, веселым, умеренно выпивающим и живущим у черта на рогах, эти опасения Букина казались смешными, а грядущие нерукотворные моря в подъездах — по колено!

Зато только представьте себе: выйдя в 17.15

из нашего стеклянного ВЦ, где даже мыши не размножаются по причине всеобщей прозрачности, вы как бы между прочим заглядываете в свою пивную, привычно вдыхаете табачно-дрожжевой запах, подходите к автомату, напоминающему Мойдодыра, дожидаетесь своей очереди (минут десять — вот были времена!), бросаете в светящуюся щелку монетку, предварительно подставив под кран личную кружку (гигиенично да и посуду искать не нужно), и нежно наблюдаете, как автомат, утробно крякнув, выдает вам одним пенным плевком триста восемьдесят пять граммов жигулевского пива, а поскольку ваша собственная кружка, в отличие от казенной, вмещает целый литр, можно повторить, как говорится, не отходя от первоисточника.

Конечно, нашу пивную павильоном мы не называли никогда. Смешно! Сначала безыскусно именовали «точкой», потом некоторое время — «гадюшником», года полтора держалось название «У тети Клавы» — по имени уборщицы, одноглазой старушки, которая смело бросалась разнимать дерущихся с криком: «У тети Клавы не поозоруешь!» Но вот выявился один замечательный завсегдатай — спившийся балерун из Большого театра. Интересно, что даже в совершенно попаламском состоянии он все равно ходил по-балетному — вывернув мыски. За дармовую кружку пива балерун охотно крутил фуэте и кричал при этом дурным голосом: «Р-риголетто-о-о!» Почему «Риголетто», а не, допустим, «Корсар» или «Щелкунчик», — никто не знал. Пивную начали называть «Риголетто», потом «Рыгалето», что в общем-то более соответствовало суровой общепитовской действительности. Сам балерун вскоре, весной, умер прямо на пороге нашей забегаловки, не дожив пяти минут до открытия, до 10.00, до реанимационной кружки пива. А название намертво пристало к нашему железному павильону, и, вспоминая того несчастного фуэтешника и видя, как все вокруг переименовывается вспять, я думаю о том, что не каждому удается оставить после себя такой прочный след в жизни.

Заглянуть после напряженного рабочего дня в «Рыгалето» стало доброй и прочной традицией нашего ВЦ, конечно, в основном его мужской части. Нарушить этот обычай могло только стихийное бедствие или замызганная фанерка на двери:

ПИВА НЕТ

Если когда-нибудь задумают построить памятник жертвам великого эксперимента и даже объявят всесоюзный конкурс, я обязательно пошлю им свой вариант: циклопическая железная дверь, гигантский заржавленный замок и огромная фанерина с надписью: «ПИВА НЕТ».

Но тогда, в середине 70-х, эта табличка появлялась не так часто, как нынче, и в «Рыгалето» мы — нет, не отмечали, а именно обмывали пивом все мало-мальски заметные события нашей жизни: дни рождения, именины, повышения по службе, свадьбы, отпуска, прибавления в семействах, увольнения, разводы, торжественные проводы на пенсию и — в лучший мир... Это стало ритуалом — сгрудиться у высокого, круглого, пахнущего селедкой стола, поднять кружки и чокнуться, предварительно хором продекламировав стишок, неизвестно кем и неведомо зачем занесенный с идеологически выверенной детской новогодней елки:

За мир и счастье на планете,
За радость всех детей на свете!

В особенно торжественных случаях в пиво добавлялось немного водки, и от «ерша» мир становился звеняще-легким и восхитительно простым. Правда, ненадолго. Здесь, в «Рыгалето», мы обмыли и мою негаданную свадьбу, мои служебные взлеты и падения, рождение моей первой и последней дочери Вики, получение малогабаритной двухкомнатной квартиры в Южном Чертанове, обретение шести соток под Волоколамском... Одним словом, все те события, которые превращают молодого безответственного циника в ответственного циника средних лет, готового поддерживать любой, самый идиотский режим, если тот гарантирует незыблемость очередного отпуска. Да, мы были шумливы, веселы и нетребовательны: пьяные байки какого-нибудь полпреда-расстриги заменяли нам дальние странствия, а треск ломаемых соленых сушек — щелканье кастаньет.

Но вот уже несколько лет, как я стал тяготиться коллективными заходами в «Рыгалето». Нет, конечно, бывают ситуации, когда не отвертишься, приходится идти, поднимать кружку, декламировать ритуальный стишок, желать новых служебных побед или новых наследников, но если случается возможность, я заворачиваю сюда в одиночку. Знаете, хочется покоя и вдумчивости. И еще после работы нужно как-то пере-

11

строиться: из энергичного ведущего программиста, покрикивающего на симпатичных молоденьких операторш, плавно превратиться в тихого отца семейства, точно доходяга, экономящего каждый свои поступок, каждое свое движение. Супруга моя суровая Вера Геннадиевна и не догадывается, что почти каждая практикантка, направленная к нам в сектор, обязательно, хоть ненадолго, влюбляется в меня, вернее, в то, что от меня осталось с тех шикарных институтских времен, когда мои кавээновские шуточки повторялись на всех факультетах и курсах, а Ленька Пековский, беззастенчиво пользуясь принадлежащими мне каламбурами, хохмами и примочками, пытался охмурять даже аспиранток, не говоря уже об однокурсницах.

Итак, почти каждый вечер, прежде чем до утра сгинуть в ненасытной прорве семейного благополучия, я полчасика, а то и часик провожу здесь, в «Рыгалето». Стою и потихоньку из своей баварской кружки производства Дулевского завода фарфоровых изделий прихлебываю мутный желтый напиток, способный раз и навсегда лишить профессиональной чувствительности любого западного дегустатора пива. Но я не просто пью — я думаю. Мои размышления похожи на слоеный пирог: мысли существуют в некоем последовательно слипшемся единстве. Ну вот, например, несколько сегодняшних слоев:

— как усыпить бдительность доглядчивой супруги моей Веры Геннадиевны и так непринужденно отдать ей квартальную премию, чтобы она не заподозрила меня в сокрытии четвертака, необходимого для регулярных медитаций в «Рыгалето»;

— как уговорить дочь Вику продолжать посещение музыкальной школы, если она ненавидит ее примерно так же, как я некогда ненавидел хор мальчиков, куда меня воткнули родители, переболевшие в свое время страшным, с галлюцинациями и маниями, недугом под названием «Робертино Лоретти»;

— как понадежнее присобачить в ванной отвалившийся кафель, если клей БФ не держит, а под раствор нужно соскабливать окаменевший цемент, что приведет к повальному отлетанию плиток;

— как объяснить тот факт, что Ад и Рай очень легко представить в виде двух блоков памяти некоего гигантского компьютера? Причем первый блок хранит информацию о достойно прожитых жизнях, а второй, соответственно, —

о прожитых паскудно. И благодать заключается в том, что хорошую информацию берегут. А возмездие — в том, что плохую информацию стирают. Хотя, возможно, все обстоит как раз наоборот. Именно в этом смысл воздаяния;

— как объяснить супруге моей опасливой Вере Геннадиевне, что нежелание иметь второго ребенка еще не повод для того, чтобы превращать брачное ложе в лабораторию противозачаточных исследований;

— как выпутаться из дурацкой ситуации с заказчиком, одним гнусным трестом, который хочет липовые квартальные отчеты выдавать не в убогой ветхозаветной машинописи, а для достоверности и радости начальства распечатывать свое бессовестное вранье на ЭВМ. Послать к чертям нельзя — Пековский голову оторвет, а делать — противно...

Ну и так далее.

«Слои» можно продолжать до бесконечности, но зачем? Во время размышлений я люблю оглядывать пивной зал, похожий на большой вокзальный сортир, где вместо писсуаров установлены пивные автоматы. Все остальное: запах, толчея, антисанитария — полностью соответствует вышепоименованному помещению. Впрочем, пиво сегодня неплохое, с горчинкой, наверное останкинское, а бадаевское — кислятина.

Еще мне нравится вслушиваться в шум переполненного зала, выхватывать обрывки разговоров, а если попадется интересный, постараться вычленить его из душного гула, словно русскую речь из шипения, писка, скрипа и басурманской скороговорки радиоприемника. В «Рыгалето» можно услышать что угодно — от сквернословного рассказа о производственном конфликте с гнидой-бригадиром до душераздирающей любовной истории, от парнокопытного мычания до искрометной полемики вокруг воззрений Пьера Тейяра де Шардена... Пиво, как и жизнь, любят почти все, поэтому здесь можно встретить и собирающего опивки бомжа, и доктора философии, интеллигентно пригубливающего из особым образом обрезанного молочного пакета.

— Ну и грязища! — кротко возмущается пожилой мужичок, с виду командированный: в одной руке он держит мыльно пузырящуюся кружку, в другой — чемоданчик, похожий на те, что бывают у электромонтеров. — Ну и грязища!

— Не в Париже! — беззлобно отвечает ему человек с фиолетовым лицом.

И мне совершенно ясно, что «Париж» — последнее географическое название, чудом зацепившееся в его обезвреженных алкоголем мозгах.

— Да уж... — соглашается командированный и, зажав чемодан между коленей, чтобы не ставить его на загаженный пол, присасывается к кружке. — Да уж точно — не в Париже!.. — добавляет он, оторвавшись от пива, чтобы перевести дух.

Надо ли объяснять, что ни тот ни другой в Париже никогда не были. Для них это — просто звучный символ, таинственное место вроде Беловодья или Шамбалы, где люди существуют по иным, замечательным законам, где пол в пивных настолько чист, что можно безбоязненно ставить чемодан, и где посетители никогда не допивают до дна, давая возможность лиловым бомжам поправиться и захорошеть.

А вот я в Париже был. Честное слово! Обычно я никогда не рассказываю об этом, особенно здесь, в «Рыгалето». Грустная история. Помните у Маяковского:

Неудачник не тот, кого рок грызет
И соседки пальцем тычут, судача.
Неудачник — тот, кому повезет,
А он не сумеет схватить удачу!

Сказано точно про меня. Про мою парижскую любовь. Знаете, я иногда думаю, что удачливость — это не стечение жизненных обстоятельств, а просто черта характера, как, например, искренность, злобность, отходчивость... Вы согласны? Да? Значит, у нас много общего. И я, пожалуй, расскажу вам... Только подождите — сначала схожу налью еще пива, а вы держите мое место, никого не пускайте, если будут лезть, говорите: «Он сейчас придет!» Моя кружка вмещает литр... А ваша?..

2

В Париж меня направили единогласным ре-
шением профсоюзного собрания. Ей-богу! Было
это в 1984-м, в усть-черноярский период нашей
колготной истории. Помню, я даже не хотел идти на это самое собрание. Дело в том, что у одного завсектором тогда родился ребенок и мла-
денца нужно было срочно обмыть в «Рыгалето».
Я, разумеется, вызвался тут же проследовать
в пивную, занять места и охранять их, покуда не
кончится вся эта профсоюзная говорильня.
Но мне возразили, что каждый из нашей компании уже выступил с подобным предложением,
что я не умнее других и что если заседать,
то всем вместе, а если линять, то тоже сообща.
Сами понимаете, восемь человек, мимо актового

зала идущие пить пиво, — это уже политическая демонстрация. Но я, между прочим, к нашим тогдашним идеологическим играм относился вполне лояльно: мы томились на собраниях три-четыре раза в месяц, а мусульмане творят намаз по несколько раз на дню. Как говорится, от добра добра не ищут.

Как сейчас помню, в президиуме за кумачовым столом сидели секретарь партбюро, председатель профкома, престарелый директор ВЦ и его заместитель Леонид Васильевич Пековский, а также некоторое количество рядовых сотрудников в качестве физиологического раствора. Первым докладывал председатель профкома. Он толково разъяснил нам принципы распределения благ, которыми общество щедро осыпает наш «Алгоритм», и, надо отметить, полностью убедил меня в родниковой справедливости этих принципов, но я так и не понял, почему тем не менее блага непременно оказываются в загребущих руках наших начальников и их ближайшего окружения. Мне, грешному, например, за последние пять лет один-единственный раз выдали профкомовскую путевку в дом отдыха «Березки» зимой, на двенадцать дней. Оттуда я привез домой ужасных рыжих тараканов, вывести которых было просто невозможно, так как в доме отдыха их регулярно травили и, видимо, наконец вывели популяцию, абсолютно невосприимчивую к любым ядохимикатам. Опасливая супруга моя Вера Геннадиевна заявила, что сегодня я принес в дом тараканов, а завтра притащу какую-нибудь заразу похлеще, и на две недели отлучила меня от своего белого тела. Эту форму внутрисемейного воспитания она освоила еще в первые годы нашего супружества, но с тех пор воспитательный эффект сильно ослабел. Кстати, Вика шепнула мне: если я принесу домой что-нибудь похлеще, например котенка или щенка, то она будет просто счастлива!

После профорга выступил по вопросам трудовой дисциплины заместитель директора ВЦ Леонид Васильевич Пековский. Ленька Пековский. Пека. Мы выросли с ним в одном дворе, где возле старинного тополя тихо ржавел и разворовывался «опель», привезенный из поверженной Германии каким-то офицером, вскоре после этого умершим. Мы учились в одном классе, где на стенах висели неизменные портреты основоположников: две окладистые бороды и одна поменьше — клинышком.

Потом мы поступили в один и тот же институт, где хохотали над чудачествами одних и тех же профессоров и заглядывались на одних и тех же длинноногих однокурсниц. А вот однокурсницы, вы не поверите, поглядывали на меня, а не на Пековского, хотя стараниями внешторговского дяди одет он был всегда изрядно, даже под брюками в морозы носил не темно-синие треники, как мы, грешные, а разымпортные мужские колготы. Но в те бескорыстные студенческие времена это не вызывало ничего, кроме молодого буйного смеха. Не то что теперь...

После института распределили нас в одно и то же место — в «Алгоритм». Наши столы стояли рядом, мы засиживались допоздна, мучаясь над какой-нибудь трудной задачей, тайком распечатывали для друзей гороскопы и руководства по сексуальной гармонии, а вечерами вместе захаживали в «Рыгалето».

Но потом Пека стал расти не по дням, а по часам — старший, ведущий, заместитель заведующего, заведующий и так далее. В институте на последнем курсе он женился на трогательной морской свинке — дочке крупного партийного босса. За развал работы в регионе впоследствии босса законопатили в заместители председателя

Всесоюзного комитета информатики, чего Пека, естественно, предвидеть не мог, а просто ему, как всегда, повезло. Ранний брак обременял Пеку примерно так же, как тонюсенькое обручальное кольцо на безымянном пальце, он сибаритствовал, тщился вовлекать в интимную близость наших алгоритмовских дам, вслед за мной называя это бескорыстной гормональной поддержкой одиноких женщин.

Я к тому времени тоже окольцевался — женился на девушке только за то, что она совершенно не реагировала на мое общепризнанное остроумие. Сравнивая ее с разными доступными хохотушками, я вдруг понял: эта утонченная серьезность есть знак высшей душевной и нравственной организации. Результатом стал марш Мендельсона, сыгранный ленивыми музыкантами в Грибоедовском дворце. Когда же выяснилось, что эта утомительная серьезность есть всего лишь признак отсутствия чувства юмора, в кроватке за веревочной сеткой уже пищал вырвавшийся на свободу эмбрион по имени Вика, а я сам каждое утро мчался на соседнюю улицу, звеня маленькими младенческими бутылочками, так как у невозмутимой супруги моей Веры Геннадиевны, помимо чувства юмора, отсутствовало еще и молоко. В семь часов вечера мне нужно было возвращаться домой и заваривать в кастрюльке череду для купания дочери, однако и в те трудные времена я умудрялся заглядывать в «Рыголето» хотя бы на минуточку. Но Пековского я там больше не встречал: по мере служебного роста он приохотился к фешенебельным «Жигулям», что на Арбате, задружился с тамошними мэтрами и проходил в труднодоступный бар, минуя постоянную длиннющую очередь.

И вот Леонид Васильевич Пековский, одетый в серый твидовый пиджак, вишневый пуловер и нежно-фисташковую рубашку, постукивая по красной скатерти зажигалкой и скашивая глаза на свои швейцарские часы, с иронической полуулыбкой вещал нам о трудовой дисциплине как основе социалистического производства. Женщины слева от меня, отложив вязанье, с придыханием обсуждали изумительный галстук Пековского и тот неоспоримый факт, что от него всегда пахнет дорого и волнительно, а мужчины справа от меня, оторвавшись от кроссвордов, спорили, сколько может стоить его электронная японская зажигалка.

— Вопросы есть? — в заключение лениво полюбопытствовал Пековский и притронулся к губам носовым платком, совершенно случайно совпадавшим по тону с галстуком. Обращение носило чисто риторический характер, ибо все разговоры о трудовой дисциплине были жалким ритуальным осколком полузабытого мистического энтузиазма первых пятилеток.

— Есть вопросы! — вдруг вскочил со своего места наш правдолюб Букин.

Он всегда напоминал мне дружинника, который бросается защищать подвергшуюся нападению хулиганов девушку именно в тот момент, когда честь, возможно, уже утрачена, но зато из-за угла как раз показался «москвичок» с нарядом милиции.

— Пожалуйста, — недоуменно кивнул Пековский и вынул из кармана записную книжечку с золотым обрезом.

— Доколе?! — возопил Букин, сжимая в карманах кулаки.

— Конкретнее! — поморщился секретарь партбюро.

— Доколе, — гневно уточнил Букин, — вы, товарищ Пековский, будете беспардонно использовать в корыстных целях свое служебное положение, занятое вами исключительно благодаря кумовству и протекционизму?

Представьте себе на минуточку хлипкого молодого человека, который, отнаблюдав схватку двух каратистов, демонстративно подошел к победителю и плюнул ему в глаз! Представили? А теперь вообразите последствия. Вообразили? Примерно то же самое я подумал и о Букине.

— Что вы имеете в виду? — спокойно спросил Пековский.

— Что я имею в виду? — с истерическим сарказмом передразнил Букин, двигая кулаками в карманах. — Нет, я не имею в виду вашу четырехкомнатную квартиру, полученную вне всякой очереди. Я не имею в виду служебную дачу, которая — я выяснял! — вам не положена. Я не имею в виду «трешку», купленную вами в обход всех списков. Но я имею в виду тот факт, что из двух туристических путевок во Францию, выделенных на «Алгоритм», одну вы втихаря присвоили себе! Извольте объясниться!

Извергнув все это из недр своей алчущей справедливости души, Букин вынул из карманов побелевшие от напряжения кулаки и сел на место. В зале воцарилась полная тишина, и лишь слышался шорох передаваемой из рук в руки газеты. Когда измятые «Известия» дошли до меня, я прочитал отчеркнутое красным фломастером малюсенькое извещение о том, что заместитель председателя Всесоюзного комитета информатики имярек освобожден от занимаемой должности в связи с уходом на пенсию. Пековский конечно же уловил движение в зале, заметил газету, открыто улыбнулся и сказал, что товарищ Букин напрасно волнуется — со следующего месяца все путевки будут распределяться гласно, на собраниях...

— А почему со следующего? — взвился Букин. — Вы сколько раз в этом году за рубеж выезжали?!

— Ну, четыре... — вздохнул Пековский и сделал скучное лицо.

— Нет, пять! — поправил кто-то из зала.

— Да, действительно... Я забыл про Болгарию... — согласился он, немного смущенный такой широкой осведомленностью своих подчиненных.

— Пять! — по всем правилам ораторского искусства подхватил неугомонный Букин. — Пять! А вот... — Он пошарил глазами по залу. — А вот... ты... — Его лицо напряглось в поиске. — А вот ты, Гуманков, ты хоть раз в жизни выезжал за рубеж?

— Я? — переспросил я.

— Да, ты!

Почему он выбрал именно меня? Ведь в зале сидели почти две сотни советских граждан, никогда не пересекавших государственную границу СССР. Может быть, он выхватил меня, потому что в тот день я был при ярко-зеленом галстуке, который где-то оторвала добычливая супруга моя Вера Геннадиевна?

«Он тебя освежает», — отводя взгляд, диагносцировала она. Эту хитрость — включать в мою одежду элементы, специально призванные отпугивать других женщин, я разгадал давно: сорочка с жеваным воротничком, брюки с двойной стрелкой, куцые носочки, а в том памятном случае, как вы сами понимаете, галстук цвета взбесившегося хамелеона.

Итак, на вопрос вошедшего в раж Букина я скорбно сообщил, что за рубежами Отечества не бывал ни разу.

— Ни разу! — зловещим эхом повторил Букин. — Гуманков! Лучший программист! Ни разу! Где социальная справедливость?

— Неужели ни разу? — огорчился Пековский и приветливо кивнул мне головой. — Но ничего не поделаешь — документы ушли на оформление. Я сожалею...

27

— Товарищи! — закричал Букин. — Неужели мы допустим, чтобы Пековский поехал в шестой раз, а Гуманков...

— Не допу-у-стим! — взревел зал. — Гуманков! Гуманков! Гу-ман-ков!

Я подумал, что именно так некогда поднимали людей на баррикады. Моя фамилия неожиданно превратилась в лозунг, знамя, призыв, наподобие «Мир — хижинам, война — дворцам!», в результате чего одинаково хреново пришлось и дворцам, и хижинам.

— Голосуем! — скомандовал Букин, полностью узурпировавший власть у президиума во главе с оцепеневшим от неожиданности директором ВЦ. Впрочем, возможно, это была и обычная старческая прострация: все-таки семьдесят годков не подарочек.

— Вы не успеете оформить Гуманкова, — вяло возразил Пековский. — Не поедет никто!

— Пусть лучше никто, чем вы! — парировал Букин. — Кто за Гуманкова?!

Как говорится, взметнулся лес рук. Единогласно. Букин смотрел на меня с торжеством, Пековский — с тоской, смысл которой стал мне ясен лишь позже.

— А кто едет по второй путевке? — вдруг

послышался из зала голос, полный надежды на еще одно чудо.

— Муравина... — ответил председатель профкома.

— Кто такая? Не знаем...

— Она работает в филиале. Отличный программист. Активная общественница. К тому же мать-одиночка...

На мать-одиночку рука не поднялась ни у кого.

3

После собрания, совершенно забыв про новорожденного, мы обмывали в «Рыгалето» мою будущую поездку в Париж. Даже непьющий Букин увязался за нами, чтобы послушать восторги по поводу собственного мятежного красноречия и подольше полюбоваться мною — мучительным плодом его любви к справедливости. Захорошев, друзья начали давать мне советы, суть которых сводилась к тому, что самое главное в групповом туризме сразу разобраться, кто из органов, а кто собирается «соскочить», — и держаться подальше от обоих.

— А как узнать? — недоумевал я.

— Ничего сложного: увидишь — догадаешься!

Вернувшись домой, я застал бдительную супругу мою Веру Геннадиевну гоняющейся с тапочком в руке за одним из тех неуморимых тараканов, импортированных из «Березок».

— Картошки не было! — доложил я первым делом, так как с утра имел приказ купить пять килограммов.

— А картошки в пивных никогда и не бывает! — пожала плечами жена.

— Прости, я просто забыл... Мне сегодня на собрании... выделили путевку!

— Ты хочешь к рыжим тараканам добавить черных?

Кстати, воспользовавшись моим появлением, гонимое насекомое юркнуло под диван, который, вероятно, в их тараканьей картине мироздания именовался «Великий свод спасения» или еще как-нибудь в этом роде.

— Думаю, там, куда я еду, тараканов нет! — по возможности загадочно ответил я.

— Будут. А куда ты едешь?

— В Париж!

— Вы переименовали «Рыгалето» в «Париж»? — предположила язвительная супруга моя Вера Геннадиевна, вставая с пола и надевая тапочки.

— Нет, честное слово, — я еду в Париж. По турпутевке. Вместо Пековского...

— Да, я читала про его тестя. Посмотрим, как этот плейбой теперь повертится! Но почему именно ты? Тебя же никогда никуда...

— Именно поэтому.

— А сколько стоит путевка?

— Не знаю, но обычно профком оплачивает процентов пятьдесят...

— М-да... Послушай, Гуманков, давай лучше по этой путевке поеду я...

— Нельзя. Она именная! — ответил я наобум и, видимо, убедительно.

— Ну конечно... Я не подумала. Иди мой руки — будем ужинать...

Когда мы поженились после полугода томительного скитания по вечерним киносеансам и незнакомым подъездам, моя молодая неулыбчивая жена умела только варить суп из концентратов и жарить яичницу-глазунью. Многомудрая теща, с которой мы жили первые годы, считала, что чрезмерная подготовленность женщины к браку развращает мужа, оттесняя его от полезного семейного труда. Со временем Вера Геннадиевна, конечно, освоила и борщи, и котлеты, и пироги, но делала все это без души, словно тяжкую повинность, наложенную на слабый пол самой природой.

Итак, я дернулся в ванную, чтобы ополоснуть руки, но там было занято.

— Кто это? — послышался изнутри голос моей единственной дочери Виктории — грядущей жертвы женского равноправия.

— Дядя Вася с волосатой спиной! — ответил я раздраженно. — Открой, мне нужно вымыть руки.

— Я голая! — жеманно сообщила мне моя восьмилетняя дочь.

— Одетыми не купаются...

— Я стесняюсь...

— У тебя там и смотреть-то не на что!

— Откуда ты знаешь?

— Видел.

— Когда?

— В детстве.

— Значит, ты тоже подглядывал за девочками?!

— Конечно.

— Тогда мой руки в кухне, подсмотрщик.

На кухне меня ожидала тарелка гречневой каши, политой остатками печеночной подливки. Гречневую кашу я ненавидел с детства, с тех самых пор, когда посещал детский сад завода «Пищеконцентрат», где нас кормили почти исключительно гречкой и укормили на всю оставшуюся жизнь.

— Опять? — не удержавшись, спросил я и был крайне удивлен, ибо вместо привычного ворчанья о том, что она тоже ходит на службу и к каторжным работам на кухне ее никто не приговаривал, непредсказуемая супруга моя Вера Геннадиевна вдруг предложила поджарить отбивную и отварить картошечки. Еще удивительнее было то, что она даже намеком не коснулась своей излюбленной темы — моего обозначившегося живота. Нет, пока только животика.

— От картошки толстеют... — засомневался я.

Но вместо того чтобы уесть меня традиционным сарказмом по поводу исключительной малокалорийности пива, она молча вывалила в мойку последние корнеплоды и начала срезать кожуру. Тогда — окончательно проясняя ситуацию — я подошел к холодильнику, достал банку консервированных огурцов и, не спросив позволения, открыл ее. Я-то знал, что огурцам уготована иная, празднично-салатная судьба, и ждал взрыва негодования, но его не последовало.

— Гуманков, — абсолютно ласково спросила Вера Геннадиевна, — ты меня разыгрываешь с Парижем?

— Клянусь!

— Тогда я должна позвонить! — серьезно ответила она, покидала в кипящую воду кубически оструганные картофелины и ушла к своему ненаглядному, обожаемому, нежно любимому аппарату. Думаю, если наладить выпуск телефонов определенной формы, множество женщин полностью откажутся от общения с мужчинами.

Тем временем из ванной появилась Вика — в длинном материнском халате и тюрбане, сооруженном из мокрого полотенца. Она изумленно посмотрела на початую банку огурцов и, запустив туда руку, выловила два, покрупнее. Любит соленое, как и отец: все-таки мои гены покрепче Веркиных оказались!

— Игрушки из ванны вынула? — строго спросил я.

— Вынула, — кивнула она, рассматривая зернистую полость огурца. — У меня есть вопрос!

— Если уроки сделала, то — пожалуйста! — разрешил я.

Дело в том, что, по заключенной между нами конвенции, каждый вечер она имела право задать мне один вопрос на любую волнующую ее тему. На любую! Идя на этот отцовский подвиг, я побаивался, но оказалось, аистово-капустные вопросы занимают совершенно незначительное место среди волнующих ее детское воображение проблем.

— Как ты думаешь, — спросила Вика, — в следующей жизни у меня будут такие же волосы или другие?

Вика получилась у нас светленькой.

— В следующей жизни ты вообще можешь оказаться лягушкой, если будешь вести себя кое-как!

— Ну а если я буду снова человеком, — поморщилась она от моей дешевой дидактики, — какие у меня будут волосы?

— Любые. Никто не знает. Может, ты вообще родишься курчавой негритянкой... Или индианкой...

— Но если я буду негритянкой, то это буду уже не я?!

— Конечно!

— Тогда это просто глупо!

— Что именно?

— Хорошо себя вести, прилежно учиться, помогать маме... А волосы твои достанутся какой-нибудь негритянке!

Поздно вечером позвонил Пековский, чего давно уже не случалось. Трубку, естественно, сняла Вера Геннадиевна, нетерпеливо ожидавшая звонка своей подружки-сплетницы. Но и с Пековским у нее нашлись общие темы. Ворковали они долго, и по тому, как моя благоверная охала, вздыхала и похохатывала, я догадался, что Пеке от меня что-то нужно. Наконец к нагревшемуся аппарату был допущен и я. Пековский с заливистым смехом вспомнил сегодняшнее собрание, передразнивал возмущенные бормотания нашего полуживого директора, а потом заверил, что искренне рад за меня и даже готов помочь с оформлением документов.

— Сам ты не успеешь, — предупредил он. — Неси шесть фотографий для загранпаспорта. Не перепутай — для загранпаспорта, в овале. Заполняй анкету. Остальное я беру на себя. Жаль, если никто не поедет, — все-таки Париж!

— Спасибо! — ответил я таким тоном, дабы он понял: мне за тридцать, и я давно усвоил, что просто так на этой земле ничего не делается.

37

— Ерунда! — засмеялся он. — Мы же давние друзья...

— Давнишние... — на всякий случай уточнил я.

— Ну, если ты такой щепетильный, — посерьезнел Пека, — я тебя тоже кое о чем попрошу...

— О чем?

— Узнаешь... Потом...

В последний раз он просил меня лет семь назад: речь шла о симпатичной и веселой практиканточке, чрезвычайно ему понравившейся. Я, конечно, не стал мешать, но у него все равно ничего не вышло, потому что девушку страшно смешила манера Пековского заглядывать в попутные зеркала и проверять незыблемость своего зачеса...

4

Пековский сдержал слово: документы были оформлены на удивление быстро и легко. Пара собеседований, пяток справок, трижды переписанная анкета, маленькая неразбериха с фотографиями — все это, как вы понимаете, просто пустяки. Кроме того, он настоял на том, чтобы профком, к радости скаредной супруги моей Веры Геннадиевны, оплатил мне не пятьдесят, как обычно, а сто процентов стоимости путевки, нажимая на то, что в поездку меня выдвинул коллектив, — а значит, ее можно считать одноразовым общественным поручением. «Какой благородный мужчина!» — взволнованно шептали собравшиеся перекурить алгоритмовские дамы, когда Пековский, обдав их волной настоящего

«Живанши», деловито проходил по коридору. «Что же он за все это у меня попросит?» — гадал я.

Организационно-инструктивное собрание нашей спецтургруппы имело место быть в белокаменном городском Доме политпросвета, в просторной комнате для семинарских занятий, где все стены увешаны картинками из жизни Ленина, который, как известно, лучшие свои годы провел в дальних странах. За полированным преподавательским столом капитально возвышался руководитель нашей спецтургруппы товарищ Буров — человек с малоинформативным лицом и райсоветовским флажком в петличке, сразу дающим понять, какое положение занимает его обладатель в обществе, — так же как размер палочки, продетой сквозь ноздрю, определяет иерархию папуаса в племени чу-му́-мри. Товарищ Буров, очевидно, лишь недавно научился говорить без бумажки и потому изъяснялся медленно, но весомо.

Кстати, войдя в комнату для семинарских занятий, он так и отрекомендовался: «Руководитель специализированной туристической группы товарищ Буров». И хотя я с детства люблю давать людям разные забавные прозвища, в данном случае пришлось, открыв блокнот, записать кратко и уважительно:

«1. Товарищ Буров — рукспецтургруппы».

А возле нашего могущественного начальника, изнывая от подобострастия, вился довольно-таки молодой человек, одетый с той манекенской тщательностью и дотошностью, которая лично у меня всегда вызывает смутное предубеждение. Похожие ребята на разных там встречах в верхах, протокольно улыбаясь, услужливо подносят шефу «паркер» или нежно прикладывают пресс-папье к исторической подписи. Но у заместителя руководителя спецтургруппы Сергея Альбертовича — а это был именно он — улыбка напоминала внезапный заячий испуг, что, видимо, резко сказалось на его карьере: какой-то референт в каком-то обществе дружбы с какими-то там странами — так представил его нам товарищ Буров.

Я немного подумал и записал в блокноте:

«2. Друг Народов, замрукспецтургруппы». Друг Народов то вскакивал со стула, то снова садился, то вглядывался в часы, которые вынимал из жилетного кармана, а то, выставив свои заячьи зубы, начинал что-то нежно шептать товарищу Бурову. Тот выслушивал его с державной непроницаемостью и медленно кивал. Я ог-

41

ляделся: в комнате, кроме меня и руководства, сидели еще пять человек — четверо мужчин и одна женщина. В проходе, между столами, виднелась ее наполненная хозяйственная сумка, и женщина явно нервничала, так как инструктивное собрание все никак не начиналось, а ей, очевидно, нужно было поспеть в детский сад и забрать ребенка еще до того, как молоденькие воспитательницы, торопящиеся домой или на свидание, начнут с ненавистью поглядывать на единственного оставшегося в группе подкидыша. А может быть, подумал я, она торопится, чтобы забрать ребенка не из детского сада, а из школы, из группы продленного дня? Трудно сказать наверняка: блондинки иногда выглядят моложе своих лет.

— А кого ждем? — решил я прояснить обстановку.

— Вы спешите? — сурово спросил товарищ Буров.

— Нет...

— Тогда обождите. Вопросы будете задавать, когда я скажу...

В этот миг дверь распахнулась, и в комнату вступила пышная дама лет пятидесяти с высокой, впросинь, прической, еще пахнущей парикмахерской. Одета она была в тот типичный импортный дефицит, который является своеобразной униформой жен крупных начальников.

— Разве я опоздала? — удивилась вошедшая.

По тому, как засуетился Друг Народов, а товарищ Буров привел свое лицо в состояние полной уважительной приветливости, я утвердился б догадке, что вновь прибывшая дама — жена большого человека. Именно жена, для самодостаточной начальницы на ней было слишком много золотища и ювелирщины.

— О чем вы говорите! — вскричал замрукспецтургруппы, целуя Н-ской супруге руку. — Как раз собирались начинать...

— Везде такие пробки... Даже сирена не помогает! — приосанившись, объяснила она.

«3. Пипа Суринамская», — записал я. Это такая тропическая лягушка (ее недавно показывали в передаче «В мире животных»), она в зависимости от ситуации может раздуваться до огромных размеров, но, бывает, и лопается от натуги.

— Ну что ж, начнем знакомиться? — радостно выпростав зубы, спросил Друг Народов и выжидающе глянул на рукспецтургруппы, а тот, помедлив для солидности, разрешающе кивнул головой, как лауреат-вокалист кивает нависшему над клавиатурой концертмейстеру:

— Не возражаю.

— Я буду читать список, — объяснил Друг Народов. — А вы будете откликаться. Договорились? Войцеховский Николай Иванович, летчик-космонавт...

Никто не отозвался, а товарищ Буров, нацепивший очки, чтобы следить за перекличкой по личному списку, раздраженно поглядел на заместителя поверх оправы.

— К сожалению, — спохватился Друг Народов, — товарищ Войцеховский... Одним словом, вопрос, полетит ли он с нами в Париж или без нас в космос, решается... Он в дублирующем составе... Поэтому...

— Поэтому переходите к следующему пункту! — строго посоветовал товарищ Буров.

— Следующий — Дудников Борис Захарович...

Встал толстенький молодящийся дядя с ухоженной лысиной, одетый в лайковый пиджак и украшенный ярким шейным платком. Всем видом он так напоминал творческого работника, что я сразу догадался: из торговли. Так и оказа-

44

лось — заместитель начальника Кожгалантерей-торга.

— В случае чего мы вас за космонавта выдадим! — хохотнул Друг Народов, но, не найдя отзыва на лице товарища Бурова, осекся.

А я записал в блокноте:

«4. Торгонавт».

— Епифанов Михаил Донатович, — продолжил Друг Народов. — Заведующий кафедрой философии. Профессор.

На эту фамилию откликнулся седоволосый субъект в реликтовых круглых очках, академически залоснившемся костюме и даже с авторучкой в нагрудном кармане пиджака.

— Учтите, — предупредил его товарищ Буров. — В случае дискуссий вы, как специалист по истмату...

— Диамату, — вежливо поправил профессор.

— Не имеет значения. Как специалист — вы наш главный боец!

— Не подведу! — с какой-то непонятной для философа готовностью отозвался Донатыч.

«5. Диаматыч», — записал я.

— Муравина Алла Сергеевна. Вычислительный центр «Алгоритм». Инженер-программист, — объявил Друг Народов.

Поднялась блондинка, торопившаяся в детский сад или школу, и оказалась весьма стройной.

— Это я, — сказала она.

— Мы видим, — одобряюще кивнул товарищ Буров. — Языком владеете?

— Немного...

— Будете в активе руководства.

— А что это значит?

— Вам объяснят. Садитесь.

«6. Алла с Филиала», — пометил я в блокноте и подумал, что женобес Пековский не случайно хотел прокатиться в Париж вместе с этой симпатичной блондинкой, более того — в последнее время он постоянно пропадает на филиале якобы в связи с острой производственной необходимостью. Теперь все встает на свои места. К тому же гражданка Муравина — мать-одиночка, а Пековский смолоду специализируется на брошенках: никаких ревнивых недоразумений и слезы благодарности по утрам.

— Мазуркин Анатолий Степанович, рабочий Нижне-Тагильского трубопрокатного комбината, кавалер ордена Трудового Красного Знамени, — прочитал Друг Народов.

— Тут! — вскочил маленький жилистый мужичок с огромным кадыком, норовившим все время уползти и спрятаться за огромный галстучный узел.

— Вот и гегемон у нас появился! — улыбнулся заячьими зубами Друг Народов.

— Как с планом? — с государственной заботой поинтересовался рукспецтургруппы.

— А куда, на хрен, он денется? — ответил гегемон прокуренным голосом.

«7. Гегемон Толя», — тут же записал я.

— А еще? — спросил товарищ Буров. — Кто у нас еще из основных категорий?

— Еще у нас колхозное крестьянство представлено! — сообщил замрукспецтургруппы. — Паршина Мария Макаровна, бригадир доярок колхоза «Калужская заря».

— Где?

— Еще не приехала. Председатель не отпускает — коров доить некому...

— Возьмите на контроль! — приказал товарищ Буров.

— О чем вы говорите! Можете не беспокоиться!

Я поразмышлял и решил отсутствующей бригадирше дать условное имя:

«8. Пейзанка».

— А теперь у нас пошла творческая интеллигенция, — сообщил Друг Народов. — Кирилл Сварщиков, поэт, лауреат премий имени Элиота Йельского университета и имени Василия Каменского Астраханского обкома комсомола.

— Приветик!

Поэт встал и раскланялся с добродушием своевременно похмелившегося человека. Одет он был в ярко-желтую замшевую куртку, но воротник и плечи по причине длинных жирных волос выглядели словно кожаные. Между прочим, про этого парня я слыхал. Он входил в группу поэтов-метеористов, которые объявили: все предыдущие поколения просто входили в литературу, а они ворвались в нее, что ваши метеоры.

«9. Поэт-метеорист», — зафиксировал я.

— Учтите, главное за границей — дисциплина! — предупредил товарищ Буров, недоверчиво оглядывая Поэта-метеориста.

— Мне уже говорили! — отозвался тот довольно независимо.

— И наконец — Филонов Борис Иванович, специальный корреспондент газеты «Трудовое знамя»! — объявил Друг Народов голосом конферансье, старающегося замять какую-то накладку в представлении.

Это был бородатый плечистый молодой человек в джинсах, штормовке и с фоторепортерским коробом через плечо. Он встал и шутливо поклонился на все четыре стороны, как боксер на ринге.

— В каком отделе работаете? — смерив его взглядом, спросил товарищ Буров.

— В отделе коммунистического воспитания.

— У Купрашевича?

— У Купрашевича.

— Понятно... — кивнул наш руководитель, взглядом осуждая цепочку на шее спецкора («10. Спецкор», — успел записать я). — Будете, товарищ Филонов, в активе руководства! Пропагандистом.

— Лучше контрпропагандистом! — подсказал Спецкор.

— Не возражаю. Поможете составить отчет о поездке.

— Запросто! Мне все равно в конторе отписываться...

— Товарищи! — вдруг воззвал рукспецтургруппы, медленно вставая, и я понял, что начинается тронная речь. — Каждый советский человек, выезжающий за рубеж, — это полпред нашего, советского образа жизни...

Пока он нудил о пропагандистском значении предстоящей поездки и о взглядах всего прогрессивного. человечества, обращенных на нас, я поймал себя на мысли, что — хоть убей — не могу вот так, с ходу определить, кто из собравшихся в комнате стукач, а кто собирается соскочить. Любого можно было заподозрить как в том, так и в другом. За исключением, пожалуй, Аллы с Филиала.

— ...так что прежде всего мы едем в Париж работать! — закончил товарищ Буров, пристукнув ладонью по столу. — Вопросы есть?

— Есть.

— Спрашивайте.

— А я? — спросил я.

— Кто — я? — уточнил Друг Народов.

— Гуманков...

— А вы разве в списке?

— Нет.

— В чем же тогда дело?

— В этом и дело.

— Откуда вы?

— Из ВЦ «Алгоритм»... Вместо Пековского...

— Так вы же не успели оформить документы...

— Успел...

— М-да, — буркнул товарищ Буров, нехорошо глянув на заместителя, а потом конфузно на Пипу Суринамскую, которая, в свою очередь, с таким гневным интересом углубилась в разноцветный «Огонек», словно нашла там антисоветчину.

— Я вообще не понимаю, как на одну организацию могли выделить две путевки! Это — нонсенс!.. — громко возмутился Друг Народов.

— Помолчите! — перебил его товарищ Буров.

Вот и все. Спецтургруппа смотрела на меня с состраданием и облегчением, будто в меня только что угодила шальная пуля «дум-дум», а могла ведь попасть в любого. Впрочем, эта история с нежданно-негаданно обломившимся мне Парижем была настолько чужеродна для моей заунывной жизни, что подобного бесславного окончания и следовало ожидать.

— До свидания! — сказал я, вставая.

— Обождите, — остановил меня товарищ Буров. — Это вас собрание выдвинуло?

— Меня...

— Ладно, будем считать вас в резерве.

— Как.это?

— А так. Если космонавт Войцеховский полетит... Вернее, если он не полетит... Одним словом, слушайте ТАСС.

— Понял, — усмехнулся я и с негодованием посмотрел в сторону Аллы с Филиала.

Она покраснела и отвернулась к окну. Мне было совершенно ясно: на мое кровное место вперли эту толстомясую Пипу Суринамскую, чтобы подмазаться к ее крупняку-мужу, но злился я почему-то на уставившуюся в окно очередную пассию любострастного Пеки.

— Записывайте, — распорядился Друг Народов. — Завтра здесь же в это же время будет лекция о международном положении и политической ситуации во Франции. Явка строго обязательна. А теперь поднимите руки те, кто никогда не был за границей.

Руки подняли я (в качестве резерва), Гегемон Толя, Торгонавт и Алла с Филиала.

— А теперь те, кто был в соцстранах.

Руки подняли Диаматыч, Поэт-метеорист и Пипа Суринамская.

Наши руководители озабоченно переглянулись, и товарищ Буров медленно кивнул головой.

— Записывайте, — распорядился Друг Народов. — Водка (или коньяк) — две бутылки. Колбаса сухая — один батон. Белье — три пары...

5

Буквально до последнего момента я пребывал в полной неизвестности: еду — не еду... Непонятно... Я исправно ходил на все лекции, беседы, инструктажи в Дом политпросвета, с меня даже взяли пятнадцать рублей на общественные сувениры, но красную шапочку с надписью «СССР — Франция», в отличие от других, я не получил. Спецкор, оказавшийся остроумцем, называл меня резервистом, а Алла с Филиала при встрече отводила глаза, и я никак не мог определить, какого они у нее цвета. Космонавт Войцеховский в Доме политпросвета не появлялся, но и от поездки тоже не отказывался, хотя однажды его показали по телевизору крутящимся на центрифуге. На работе меня донимали предложением написать куда-нибудь коллективный протест, Пековский уверял, что все будет тип-топ, а дома супруга моя недоверчивая Вера Геннадиевна смотрела на меня как на дауна, сожравшего по рассеянности выигрышный лотерейный билет.

За два дня до отъезда, поздно вечером позвонил Пека. Трубку совершенно случайно взял я.

— Он на орбите. Завтра о нем будет в газетах.

— Врешь! — не поверил я.

— У парня из основного состава обнаружили простатит. Представляешь, как обидно! Говорят, он уже чехлы для «волги» купил. Им за успешный полет, кроме цацек, «волгу» выдают...

— Откуда ты все это знаешь?

— У меня приятель в Звездном живет. А там как в коммуналке... Они за эти полеты, как мы за «загранки», глотку рвут... А ты ведь понял, о чем я тебя попрошу?

— Конечно.

— Догадливый. Попробуем тебя на сектор двинуть.

— Не надо. Уже пробовали... А она очень приятная женщина...

— Так чего же ты на нее волком смотришь?

— Жаловалась?

— Она никогда не жалуется. Просто сказала: жаль, что такой милый человек, как ты, на нее обижен...

— Виноват. Но быть в резерве — очень вредно для нервов, — попытался отшутиться я. — Теперь буду смотреть на нее с обожанием!

— Не надо. — Голос Пеки посерьезнел. — Не надо смотреть на нее с обожанием. Твое дело присматривать...

— Шпионить, что ли?

— Н-да, быть в резерве — вредно не только для нервов. Шпионить там будет кому. Твое дело, повторяю, присматривать. Она женщина легкоранимая, тонкая, а в поездках, сам знаешь, ситуации разные случаются. Особенно мне не нравится этот ваш Буров...

— Мурло аппаратное...

— Вот именно, — подтвердил Пека. — Значит, понял?

— Понял, понял... — дурашливо согласился я. — Мое дело — сторожить.

— Кончай придуриваться!

— Охранять.

— Гуманков, ты неблагодарная свинья!

— Оберегать.

56

— Почти правильно.

— Беречь.

— Точно.

— Для тебя.

— Для меня.

— Ты гигант гормональной индустрии! Я тебя уважаю! — Мне удалось сказать это почти беззлобно.

— Это не гормональная поддержка. Это серьезно, — каким-то не своим голосом ответил Пековский.

— Ты откуда говоришь?

— Из автомата. С собакой гуляю. Понимаешь?

— Понимаю. Не беспокойся. Можешь положиться на меня, как на себя самого!

— А вот этого не нужно! — засмеялся он и повесил трубку.

Сколько раз я ездил в командировки, но никогда супруга моя беззаботная Вера Геннадиевна не собирала меня в путь-дорогу. И лишь когда чемодан бывал уже застегнут и поставлен у двери, она чуть отрывала его от пола и саркастически предупреждала: «Не надорвись, Гуманков!» В этот раз все было по-другому. Жена трижды ездила за консультацией к своей

57

двоюродной сестре, вышедшей замуж за сантехника-международника. Я не шучу: в наших посольствах работают только свои, вплоть до дворника и посудомойки, причем процветает такая же непробиваемая семейственность, как в дипломатии или, скажем, в музыке. Чтобы стать сантехником-международником, нужно родиться в семье сантехника-международника или, в крайнем случае, жениться на дочке оного. Кроме того, Вера Геннадиевна посвятила несколько часов обзваниванию тех наших знакомых, которые так или иначе имели дело с заграницей. Обобщив все советы и рекомендации, она тщательно укомплектовала мой чемодан с таким расчетом, чтобы любую свою нужду или потребность вдали от Родины я мог удовлетворить, не потратив ни сантима из тех трехсот франков, каковые нам обещали выдать по прилете в Париж. На случай продовольственных трудностей в чемодан были заложены несколько банок консервов, два батона сухой копченой колбасы, три пачки галет, упаковка куринобульонных кубиков, растворимый кофе, чай, сахар, кипятильник, две бутылки — водка «Сибирская» и коньяк «Аист». Отдельно, в специальном свертке, таилась железная банка черной икры — на продажу. Имелся и небольшой тульский расписной электросамовар — для целенаправленного подарка.

— С икрой не торопись! — поучала предусмотрительная супруга моя Вера Геннадиевна. — В отеле она идет дешевле, сдай в городе...

— Не умею... — хныкал я.

— Ничего сложного: делай, как все. Самовар подаришь в семье. Должны отдарить. У них так принято.

Поздно вечером накануне отъезда, когда Вика, получив заверения, что ей будет доставлено не менее десяти упаковок надувной фруктовой, с комиксами внутри, жевательной резинки, ушла спать, а я, последний раз проверив оба будильника (второй для надежности заняли у соседей), завалился в постель, — ко мне, благоухая всевозможными шампунями, дезодорантами и духами, пришла супруга моя обольстительная Вера Геннадиевна. Действовала она четко, слаженно, деловито, точно выполняла какую-то лишь ей одной ведомую показательную программу. Я мысленно поставил ей 5,7 — все-таки не хватало артистизма.

А потом она включила ночник, достала из тумбочки листок бумаги, развернула — и я увидел нарисованную фломастером карту, напоминающую те, по которым в детских книжках ищут сокровища пиратов. Место, где спрятано сокровище, было обозначено, естественно, крестиком.

— Это магазин, — объяснила жена. — Хозяин — мсье Плюш. Он говорит по-русски. Передашь ему привет от Мананы...

— Кто это?

— Не важно. Просто передашь привет. У него можно купить дубленку за триста франков.

— У меня есть плащ.

— Дубленка нужна мне. Триста франков — очень дешево. Потому что с брачком. Но ты его даже не заметишь. Это у нас, если брак, то рукав оторван или воротник, а у них: шовчик где-нибудь косит или фактура кусков немножко не совпадает. Только не перепутай размер. Вот я тебе все написала — рост, грудь, талия, бедра... На всякий случай...

— А если я не найду этот магазин?

— Найдешь. Все находят.

— А если времени не будет?

— Не волнуйся — я узнала. На Лувр — туда поведут обязательно — дается два часа. Час тебе на музей. Потом побежишь в магазин. Туда обратно — полчаса. В магазине полчаса. Хватит за глаза — очередей у них нет. Возвращаешься с дубленкой и ждешь группу на выходе. Отработано... Все так делают...

— А если...

— Тогда лучше не возвращайся! — всерьез предупредила непреклонная супруга моя Вера Геннадиевна, а потом рассмеялась и поцеловала меня в нос...

В шесть часов утра мы стояли на безлюдной темной улице и ловили такси. С вечера обещали заморозки, и выбоины в асфальте были затянуты белым струпчатым ледком, лопавшимся под ногой с каким-то барабанным звуком. Ветер шевелил кучи опавших листьев и продувал даже мой утепленный плащ, в котором я хожу всю зиму.

Такси не было. Вообще. Только черные московские «волги» мчались куда-то, высокомерно не обращая внимания на протянутую руку Веры Геннадиевны.

— Надо было заказать по телефону, — посетовал я.

— Пробовала. Глухо, — ответила она.

Хорошенькое дельце: быть единодушно избранным коллективом, победить в безмолвной схватке с космонавтом Войцеховским — и не попасть в Париж из-за такси! Вот уж действительно страна вечнозеленых помидоров! Меня охватило чувство слезливого бессилия перед унылой судьбой. Сжав губы, Вера Геннадиевна, видимо, прощалась со своей дубленкой от мсье Плюша. И вдруг показалось такси. Нет, сначала на взгорке, точно волчий глаз, мелькнул зеленый огонек. Исчез. А потом салатового цвета «волга» с шашечками на боку вынырнула уже совсем рядом с нами и резко затормозила, даже вильнув в сторону.

— В Шереметьево-2! — отчаянно и гордо крикнула жена.

Таксист молча показал на трафарет «В парк» и уехал.

— Когда вы встречаетесь? — спросила сникшая супруга моя Вера Геннадиевна.

— В семь пятнадцать под табло в зале вылета, — заученно ответил я.

— Значит, у нас еще минут двадцать в запасе... Не больше...

Судьба приходит к нам в разных обличьях. Это может быть письмо, телефонный звонок, стук в дверь. Ко мне в то знобящее утро судьба приехала в виде большой помойной машины. Честное слово! Огромный грузовик с оранжевым резервуаром вместо кузова выскочил неизвестно откуда и остановился возле нас. Сверху из кабины свесился водитель и спросил:

— Куда?

— В Шереметьево-2, — вяло ответили мы.

— Садись — поехали!

Одной рукой цепляясь за поручень, а другой влача за собой чемодан, забыв даже попрощаться с женой, я полез наверх, в пахнущую помойкой и бензином кабину. Усевшись и устроив между ногами чемодан, я глянул вниз: осиротевшая супруга моя Вера Геннадиевна махнула мне рукой, а я, сжав кулак, ответил ей приветствием испанских республиканцев: «Они не пройдут! Но пасаран!»

В пути выяснилось, что рядом с аэропортом расположена большая городская свалка — туда и ехал мусоровоз.

— Куда летим? — спросил водитель.

— В Париж, — смущенно ответил я.

— А-а-а, — протянул он, точно я сказал «в Пермь». — Говорят, там винище дешевое...

— Посмотрим...

— А чего смотреть — ты попей! Хоть память останется...

Никогда прежде я не ездил в кабине такого грузовика. С верхотуры казалось, что попадавшиеся навстречу легковушки проскакивают у нас чуть ли не между колес. Когда мы проезжали пост ГАИ на Окружной, водитель по-приятельски помахал постовому, а тот отдал честь, словно бронированному правительственному лимузину.

— Друг? — спросил я.

— Нет. Иногда домой подбрасываю...

Возле Шереметьева навстречу нам попалась темно-кофейная «трешка» Пековского: обознаться было невозможно из-за уникальной наклейки на лобовом стекле и клептоманского количества дополнительных фар и прочих бирюлек на бампере. «Жене, конечно, наврал, что повез к самолету периферийного заказчика! — подумал я. — А может, теперь, после низложения тестя, он ей вообще не докладывается? Но светиться в аэропорту, хитроныра, все равно не стал...»

Мы затормозили в том месте, где от шоссе ответвляется эстакада, ведущая прямо к стеклянным самораскрывающимся дверям аэропорта: дальше на мусоровозе было нельзя. Я расплатился, пообещал пропустить сквозь печень максимальное количество французских винопродуктов и спрыгнул на землю, слегка подвернув ногу.

Когда через пять минут, прихрамывая и перекладывая чемодан из руки в руку, я появился под табло в зале вылетов, то увидел монументального товарища Бурова в официально темно-синем плаще и мятущегося возле него Друга Народов, одетого в длиннополое кожаное пальто.

— Почему опаздываете? — сурово спросил рукспецтургруппы.

— Понимаете, такси...

— Это ваши трудности! — перебил меня Друг Народов. — Срочно заполняйте таможенную декларацию.

— А где? — не понял я.

— Это там, — махнул рукой замрукспецтургруппы, брезгливо принюхиваясь ко мне.

Размышляя о том, как, должно быть, страдают от своей профессиональной пахучести водители мусоровозов, я двинулся в указанном направлении. Кстати, потом выяснилось, что наши предусмотрительные руководители назначили сбор группы на час раньше, чем нужно. На всякий случай...

6

Следуя указанию, я подошел к круглому, как у нас в «Рыгалето», столику, где уже расположились Алла с Филиала и Торгонавт. Всем своим видом я старался продемонстрировать, что оформить декларацию для меня такое же привычное дело, как, например, заполнить приходно-расходный ордерок в сберегательной кассе, куда по указанию накопительной супруги моей Веры Геннадиевны вкладываются все мои явные премии. Удивительно, как глубоко сидят в нас подростковые комплексы: гораздо проще опозориться, отдавив девчонке ноги, чем честно признаться, что вальса-то ты как раз танцевать и не умеешь.

Чтобы, не привлекая к себе внимания, сообразить, откуда они добыли чистые бланки, я принялся оглядываться с видом пресыщенного экскурсанта.

— Вот, пожалуйста! — Алла с Филиала протянула мне листочек. — Я на всякий случай взяла лишний...

— Благодарствуйте! — вместо человеческого «спасибо» отчебучил я.

— Извольте! — в тон мне ответила она и сделала еле заметный книксен.

Достав ручку, я лихо вписал в соответствующие графы свои Ф.И.О. — Гуманков Константин Григорьевич, а ниже свое гражданство — СССР. Но зато в следующем пункте столкнулся с непреодолимыми трудностями: «Из какой страны прибыл?» Дальше опять было понятно: «В какую страну следует?» В Париж, с вашего позволения. Потом шли дотошные вопросы про оружие и боеприпасы, наркотики и приспособления для их употребления, предметы старины и искусства, советские рубли и чеки, золото-бриллианты и зарубежную валюту, изделия из драгоценных камней и металлов, а также лом из этих изделий... Все это более-менее ясно, если не считать оставшихся у меня после расчета с мусорщиком тридцати четырех рублей с мелочью. Но иррациональный вопрос: «Из какой страны прибыл?»... А если я никогда, даже в материнской утробе, не покидал пределы Отечества? Тогда что? Я осторожно посмотрел на Торгонавта, который, почесывая лысину, напряженно вглядывался в декларацию, словно это был кроссворд из «Вечерки».

— Как вы думаете, — уловив мой взгляд, спросил он. — Золотые зубы вписывать?

— Не надо. Вы же не в Бухенвальд едете! У моего друга платиновый клапан в сердце — он и то никогда не вписывает! — Но это сказал не я, а появившийся Спецкор. Одет он был точно так же, как в день, когда я увидел его впервые, только, кроме фотокоровского короба, имелась еще большущая спортивная сумка.

— Я так и думал! — облегченно вздохнул Торгонавт.

— А вот перстенек запишите. За контрабанду могут в Бастилию посадить!

— Бастилию сломали... — грустно отозвался Торгонавт и покосился на свой массивный золотой перстень с печаткой в виде Медного всадника.

— Какие еще трудности? — в основном к Алле с Филиала обратился жизнерадостный Спецкор. — Заполняю декларации. Оказываю другие мелкие услуги. Плата по таксе. Такса — пять франков...

— А в рублях берете? — спросил я.

— По-соседски... На чем застряли? — Он пробежал глазами мой бланк и достал ручку. — Типичный случай... Запомните: прибыли вы из СССР.

— Странно...

— Ничего странного. На обратном пути напишете: «Прибыл из Франции». Если, конечно, вернетесь... И не ищите логики в выездных документах. Это — сюр! А сколько у вас рубликов с собой?

— Тридцать четыре... с мелочью...

— Больше тридцати нельзя. Строго карается. Пишите — ровно тридцать.

— А если проверят? — ненавидя себя за трусость, тем более в присутствии Аллы с Филиала, проговорил я.

— Нужно уметь рисковать! — подмигнул Спецкор. — Оружие спрятали надежно?

— Мое оружие — советский образ жизни!

— Неплохо, сосед! Декларацию сами подпишете или тоже доверите мне?

Я подписался под десятком «нет» и спросил:

— А почему вы называете меня соседом?

— Потому что в отеле мы будем с вами жить в одном номере.

— Откуда вы знаете?

— Пресса знает все. Списки проживания составлены и утверждены в Москве, а я подполз и разведал.

— А я с кем буду жить в одном номере? — спросила Алла с Филиала.

— Обычно такие очаровательные женщины живут вместе с руководителем...

— Вот как? — произнесла она с таким холодным недоумением, словно понятия не имела не то что о Пековском — вообще о принципиальных физиологических различиях между мужчиной и женщиной.

— Виноват! — покраснел Спецкор. — Не рассчитал-с! Просто не знаю с кем... Не интересовался. Но если предположить, что наша генералиссимша будет жить, естественно, одна, то вам остается во-он та юная женщина, которые еще есть в русских селеньях...

И Спецкор показал на румяную плотную девушку, одетую в ярко-синюю куртку-аляску и белые кроссовки, вроде тех, что в магазинах потребкооперации продают колхозникам в обмен на определенное количество сданных мясопродуктов. Рядом с ней стоял болотного цвета чемодан, надписанный совсем как для выезда в пионерский лагерь: «Паршина Маша. К-з «Калужская заря».

Это была Пейзанка, значившаяся в моем блокноте под номером восемь.

— Девушка, вы уже заполнили декларацию? — игриво крикнул ей Спецкор.

— Не-ет еще... — смущенно ответила она.

— Могу помочь. Недорого. Всего пять франков. Труженикам сельского хозяйства — скидка! — И с этими словами Спецкор направился к ней.

— Я очень рада! — призналась мне Алла с Филиала. — Очень приятная девушка, правда? Вы знаете, я боялась, что меня поселят...

И тут, легка на помине, появилась Пипа Суринамская. Точнее, сначала в зал вбежал прапорщик, огляделся и, зачем-то придерживая отъехавшую стеклянную дверь, крикнул:

— Здесь, товарищ генерал!

Тогда состоялся торжественный вход царственной Пипы Суринамской в сопровождении толстого генерала, на красном лице которого были написаны все тяготы и излишества беспорочной многолетней службы. Следом за ними перекособочившийся сержант, очевидно водитель, впер гигантский чемоданище, имеющий к обычным чемоданам такое же отношение, как динозавр к сереньким садовым ящеркам.

— Здорово, хлопцы! — поприветствовал генерал хриплым басом и, небрежно отдав честь, поздоровался за руку с вытянувшимися во фрунт Буровым и Другом Народов. — Как настроение?

— В Париж торопимся! — тонко намекнул на непунктуальность вновь прибывших Друг Народов.

— Ничего — теперь уже скоро, — утешил генерал Суринамский. — Три часа — и там. Десантируетесь прямо в Париже... А мне на танке три недели ехать!

Полководческая шутка вызвала дружный и старательный смех.

— Ну, мамуля, давай прощаться! — поскучнев, сказал генерал и придвинул к себе Пипу для прощального поцелуя. — Отдыхай. Осваивай достопримечательности. На Эйфелеву башню не лазь — хлипковата для тебя. В магазинах с ума не сходи — у нас в «Военторге» все есть. Ну и за дисциплинкой в подразделении приглядывай! —. Обернувшись, он пояснил: — Я, когда в командировку убывал, часть всегда на супругу оставлял. И полный порядок!

Пока генерал Суринамский со свитой покидал зал прилета аэропорта Шереметьево-2, товарищ Буров стоял навытяжку и преданно улыбался, но как только стеклянные двери сомкнулись, он повернулся в нашу сторону, нахмурился и приказал Другу Народов:

— Список!

Провели перекличку. Все были на месте, кроме Поэта-метеориста, но и его вскоре обнаружили: он стоял и зачарованно смотрел на фоторекламу холодного баночного пива «Гиннесс».

— Без моего разрешения не отлучаться! — строго предупредил рукспецтургруппы. — Накажу! Сейчас проходим таможенный досмотр!

Вялый таможенник в форме, похожей на железнодорожную, глянул на нас, как китобой на кильку:

— Откуда?

— Спецтургруппа, — гордо сообщил Друг Народов.

— Разрешение на валюту!

— Пожалуйста.

— Проходите, — дозволил таможенник и брезгливо проштамповал наши декларации, удостоив вниманием одного лишь Торгонавта. — Перстень записали?

— Обижаете! — ответил тот.

Честно говоря, до последнего момента я боялся: а вдруг таможенник прикажет: «Всем вывернуть карманы!» И выяснится, что вместо положенных тридцати рублей я везу тридцать четыре с копейками...

При регистрации билетов и багажа случился казус с Пипиным чемоданом-динозавром, тащить который, между прочим, товарищ Буров молчаливым кивком приказал Гегемону Толе. Так вот, чемодан никак не лез в отверстие, куда на транспортерной ленте уезжал весь остальной багаж. В конце концов его утолкали на специальной тележке, а Гегемону Толе была доверена Пипина дорожная сумка, тоже довольно вместительная.

Паспортный контроль прошли быстро, правда, и тут не обошлось без волнений. Сержант, сидящий в застекленной будочке, принял мой паспорт и стал его внимательно рассматривать. Я постарался воспроизвести на своем лице выражение сосредоточенного испуга, зафиксированное на фотографии. «А вдруг, — с ужасом думал я, — произошла непоправимая ошибка: подписи важной нет или печати? Говорят, так иногда случается!

Тем более что покуда все шло подозрительно гладко... А вдруг — моя беда в этих проклятых тридцати четырех рублях с копейками?! Кто знает, какая у них тут техника? Может, уже и кошельки научились просвечивать? А таможенник специально меня пропустил, чтобы потом...»

— Куда летите? — спросил сержант.

— Что? — растерялся я.

— Куда летите?

— В Париж...

— Зачем? — не отставал он.

Вопрос был на засыпку, и я в ответ только пискнул.

— Спецтургруппа! — солидно объяснил за меня Друг Народов.

— Проходите! — помиловал сержант и просунул мои документы в щель между краем стекла и полированной полочкой, раздался щелчок, и, толкнув маленький никелированный шлагбаум, я оказался на свободе.

— Счастлив приветствовать вас за рубежом! — встретил меня Спецкор. — Ностальгия еще не началась?

— Вроде нет... — ответил я.

Ответил бездарно. И, сравнив себя с языкастым Спецкором, я вдруг ощутил всю степень своего одеревенения. А ведь были времена, когда я мог отшутиться так, что все, включая и Аллу с Филиала, просто покатились бы со смеху. Я был искрометен и непредсказуем. Но потом... Потом, раскуражившись в какой-нибудь теплой компании, я вдруг натыкался на неподвижный взгляд неулыбчивой супруги моей Веры Геннадиевны — так жена обычно взглядывает на недееспособного мужа, пустившегося в разглагольствования о секретах плотской любви. «Зачем ты перед ними паясничал? — упрекала она меня уже дома. — Ты разве клоун?» И мне начинало казаться, будто я и впрямь вел себя нелепо и постыдно, точно седой массовик-затейник на подростковой дискотеке. Очевидно, жена меня постоянно сравнивала с кем-то другим — молчаливым, величественным и серьезным, а теща однажды проговорилась-таки про соискателя Игоря Марковича, по пустякам не балаболившего и обладавшего руками, произраставшими оттуда, откуда они и должны расти у настоящего мужчины. Вместо того чтобы послать их вместе с Игорем Марковичем туда, откуда не должны расти руки у настоящего мужчины, я, наивняк, решил соответствовать! Вот и досоответствовался... Одна радость — Вика. Очень смешливая девчонка! Вот недавно...

— Список!

Товарищ Буров, замыкавший наш организованный переход государственной границы, поправляя ондатровую шапку, пытливо осматривал вверенную ему спецтургруппу.

— Список!

— Все на месте, кроме поэта, — на глаз определил Друг Народов.

— Где он? — осерчал рукспецтургруппы. — Сказал, в туалет пошел, — доложил Диаматыч.

— Вы плохо знаете психологию творческих работников! — покачал головой Спецкор. — Наверху бар, где наливают за рубли.

— Ну да? — изумился Гегемон Толя.

— Привести! — рявкнул товарищ Буров.

— Я сбегаю, — вызвался Друг Народов.

— А я помогу, — прибавил Спецкор. — Одному не донести...

Вернулись они через десять минут, неся на себе, как раненого командира, тяжело пьяного Поэта-метеориста, который мотал головой из стороны в сторону и с завываниями бормотал какие-то стихи. Мне удалось разобрать лишь строчку:

Мы всю жизнь летаем над помойкой...

— Я вас выведу из состава группы и оставлю в Москве!.. — угрожающе начал товарищ Буров.

— Не надо пугать человека Родиной, — заступился Спецкор. — Он исправится...

Мне казалось, теперь нас погрузят в автобусы и, как в Домодедово, повезут к самолету, но я ошибся: прямо вовнутрь «ИЛа» вел телескопический трап — огромное полое щупальце, присосавшееся к округлому самолетному боку. Рядом с овальным входом на борт стояли улыбающаяся стюардесса и хмурый прапорщик с рацией.

Я с детства люблю сидеть у окошка и тут тоже не смог отказать себе в этом удовольствии. Рядом со мной устроилась Алла с Филиала, а еще ближе к проходу Диаматыч. Впереди нас определили тело Поэта-метеориста, которое охранял Спецкор, тут же начавший заливать Пейзанке, будто любой наш самолет, следующий за границу, сопровождают два истребителя, но из иллюминаторов их не видно, потому что один летит сверху, а второй — снизу, под фюзеляжем.

— Не боитесь летать? — спросил я свою соседку, щелкая пристяжным ремнем.

— Нет, — ответила она, что-то озабоченно выискивая в своей сумочке.

— Может быть, хотите к окну? — самоотверженно предложил я.

— Нет, спасибо, я боюсь высоты... Стюардесса походкой, напоминающей манекенщицу и моряка одновременно, прошла вдоль рядов, проверяя, кто как пристегнулся.

— Ему плохо? — спросила она, остановившись возле распавшегося Поэта-метеориста.

— Ему хорошо! — успокоил Спецкор.

Самолет, беспомощно потряхивая длинным крылом, пополз к взлетной полосе. Радиоголос сначала по-русски, а потом по-французски поприветствовал нас на борту авиалайнера «Ильюшин-62». И я вспомнил, что на внутренних линиях говорят почему-то просто — «ИЛ-62»... Потом стюардесса показывала, как в случае чего нужно пользоваться оранжевым спасательным жилетом, хотя, конечно, отличные летные качества лайнера гарантируют полную безопасность.

— В каждом жилете, в непромокаемом пакетике, по сто долларов, — объявил Спецкор. — На случай непредвиденных расходов...

— Уй ты! — восхитилась Пейзанка. Наконец мы вырулили на взлетную полосу, несколько мгновений простояли неподвижно и вдруг рванули вперед так, что задребезжали откидные столики и с треском стали открываться крышки багажных антресолей.

— Истребители взлетают вместе с нами? — спросила доверчивая Пейзанка.

— Нет, с Шереметьево-1, — объяснил Спецкор.

Дребезжание прекратилось.

— Летим! — вздохнул Торгонавт и вытер лицо шейным платком.

— Взлет — это лишь повод для посадки! — успокоил его Спецкор.

Я глянул в иллюминатор: внизу виднелись лес из крошечных декоративных деревьев (как на японской выставке растений), поселки из кукольных домиков и малюсенькие автомобильчики, наподобие тех, что начала недавно коллекционировать Вика, окончательно забросив собирание кошачьих фотографий. Решив поделиться своими наблюдениями, я повернулся к Алле с Филиала: в ее глазах было отчаяние.

— Я забыла фотографию! — пожаловалась она.

— Чью? — спросил я, подразумевая, конечно, Псковского.

— Моего сына...

7

— Странно! — пожала плечами Алла с Филиала.

— Что — странно? — уточнил я.

— Все... Странно, что только сейчас вспомнила про сына... Обычно я думаю о нем всегда. Странно, что я забыла фотографию... Странно, что через три часа мы будем в Париже...

— И, наверное, странно, что вместо Пековского лечу я?

— Нет, не странно, он предупреждал, что со мной рядом будет его детский друг — чуткий и отзывчивый товарищ... Он, наверное, просил вас меня опекать?

— Беречь. Говорил, что вы робкая и легкоранимая...

— И поэтому вы рядом со мной?

— Исключительно поэтому...

— А вы не очень-то любите своего детского друга!

— Вам показалось...

Я отвернулся к иллюминатору: земля внизу была похожа на бурый, местами вытершийся вельвет. Сказать, что я не люблю Пековского, — ничего не сказать. Это трудно объяснить. В классе пятом у нас, дворовых пацанов, повернулись мозги на рыцарях — «Александр Невский», «Айвенго», «Крестоносцы» и так далее. Латы мы вырезали из жестяных банок, в которых на соседний завод «Пищеконцентрат» привозили китайский яичный порошок, щиты делали из распиленных вдоль фанерных бочонков, мечи — из алюминиевых обрезков, валявшихся около товарной станции, располагавшейся недалеко от нашего двора. Я сам разработал оригинальную конструкцию арбалета, и, если удавалось достать хорошую бинтовую резину, он стрелял почти на пятнадцать метров. Сложнее всего обстояли дела со шлемами, выбирать не приходилось, и в дело шли облагороженные кастрюли, миски, большие жестянки из-под половой краски... А Пека поглядывал на наши экипировочные мучения с усмешечкой и называл нас «кастрюленосцами». Когда же, наконец, все было готово и мы разделились на Алую и Белую розы, чтобы сразиться за трон — колченогое кресло, установленное на крыше гаража, — во двор вышел Пековский. Он был облачен в настоящие, отливавшие серебром рыцарские доспехи, на голове — шлем с решетчатым забралом и алыми перьями, в руках — настоящий арбалет, заряжавшийся, как и нарисовано в учебнике, с помощью свисавшего маленького стремени. Нет, конечно же все это было не настоящее, а игрушечное, привезенное из-за границы Пекиным дядей специально к началу большой рыцарской войны в нашем дворе. И в своих дурацких латах из-под китайского яичного порошка я почувствовал себя таким ничтожеством, клоуном, болваном, что и сейчас, тридцать лет спустя, мне становится паршиво от одного этого воспоминания. Не вынимая меча из ножен, Пека занял трон, стоявший на крыше гаража.

Стюардессы обносили на выбор — минеральной водой, лимонадом и вином. Все взяли вино. Потом в проходе показался большой железный ящик на колесах, в котором, как противни в духовке, сидели подносы с едой.

— Давайте выпьем за Париж! — предложила Алла с Филиала, поднимая пластмассовый стаканчик.

— Давайте, — согласился я и, чокаясь, немного вдавил свой стаканчик в ее.

— Знаете, — продолжала она, — для русских Париж всегда был местом особенным. От хандры ехали в Париж... От несчастной любви — в Париж... Сумасшедшие деньги прокручивать — в Париж... От революции — в Париж... А когда мы вернемся, мы создадим тайное общество побывавших в Париже! Договорились?

— Договорились.

— А вы не хотите выпить за Париж? — спросила она, повернувшись к Диаматычу.

— В вашей интерпретации — нет, — ответил он и внимательно посмотрел на нас.

— А мне ваша интертрепация нравится! — вмешался Спецкор и просунул свой стаканчик в щель между спинками кресел, чтобы чокнуться.

Я огляделся. Товарищ Буров и Друг Народов приканчивали бутылку коньяка. Пипа наворачивала, так энергично орудуя локтями, что сидевший рядом с ней Гегемон Толя не мог благополучно донести кусок до рта. Торгонавт со знанием дела оглядывал плевочек черной икры на пластмассовой тарелочке, словно хотел вычислить, с какой продбазы снабжается Аэрофлот. Спецкор осторожно и заботливо, точно лекарство, вливал сухое вино в беспомощного Поэта-метеориста. Пейзанка всем предлагала домашнее сало, которое, по ее словам, месяц назад еще хрюкало. Диаматыч питался медленно и осторожно, как бы опасаясь отравленных кусков. Алла с Филиала ела красиво. А люди, умеющие красиво есть, — большая редкость, так же, как блондинки с черными глазами. Кстати, я все-таки рассмотрел ее глаза: они были темно-темно-карими.

— Алла, — спросил я с набитым ртом, — а вы раньше знали о моем существовании? До поездки...

— Конечно... Мы даже с вами встречались. Просто у вас плохая память.

— Где?

— На научно-техническом совете. В прошлом году. Вы делали сообщение после меня. Об этой системе — «Красное и черное». Мы очень смеялись...

— Надо мной?

— Нет. Над названием... Сами придумали?

— Сам...

— Я так сразу и решила...

— Почему?

— Не знаю...

Внизу расстилались похожие на бескрайнюю снежную равнину облака. Почему-то казалось, вот-вот покажется цепочка лыжников... Ту конференцию я тоже, между прочим, запомнил: меня как раз после долгих колебаний назначили исполняющим обязанности заведующего сектором, и я впервые выступал уже в новом качестве. «Красное и черное» — это действительно была моя идея, но всю техническую разработку я поручил Горяеву, хотя, напутствуя меня перед вступлением в новую должность, Пековский посоветовал: первым делом уволь Горяева, иначе пропадешь. Я хорошо знал Горяева, он был потрясающе талантлив и патологически обидчив. Я вызвал его в свой новенький кабинет, проговорил с ним два часа и поручил ему разработку «Красного и черного». В двух словах: эту систему мы готовили для Министерства рыбной промышленности, и задача состояла в том, чтобы учесть все запасы осетровой и кетовой икры в стране буквально до последней икринки. Сами понимаете, социализм — это учет и контроль.

Годовую работу всего сектора Горяев сделал в одиночку за восемь месяцев, не зная ни бюллетеней, ни отгулов, а сделав, вдруг смертельно обиделся: обозвал весь коллектив дармоедами, расшвырял шахматы, которыми играли два программиста, а вохровца на проходной обругал вертухаем. Между прочим, меня он поименовал «пожирателем чужих мозгов», но я не обиделся, а вохровец обиделся и на следующее утро потребовал у Горяева пропуск, чего не делал много лет, ибо не такие уж мы засекреченные и охрана больше для того, чтобы посторонние не ходили в нашу столовую. Оказалось, свой пропуск Горяев давно потерял, и когда я после истерического звонка начальника вневедомственной охраны прибежал на проходную, то застал там побагровевшего вохровца, хватавшегося за кобуру, где ничего, кроме мятой бумаги, не было. А мой совершенно спятивший подчиненный орал, что если бы у него была сумка «лимонок», то он бросил бы ее в наш ВЦ, потому что более гнусной организации невозможно себе и представить.

На следующий день Горяев написал заявление и ушел куда-то, где пока знали лишь о его первом, положительном качестве. А когда вальяжный представитель Министерства рыбной промышленности и Пековский, пахнущие общим дорогим одеколоном, принимали «Красное и черное», на экране после запуска программы вместо шифра появилось красочное фаллическое изображение и хулиганская надпись, суть которой сводилась к обещанию противоестественно обойтись со всем нашим трудовым коллективом. Это был прощальный жест Горяева, вдобавок он установил в программе такую хитроумную защиту, что попытки найти и снять ее привели к самостиранию всей системы. Мы заплатили министерству чудовищный штраф, весь сектор лишился премии и тринадцатой зарплаты, а меня, разумеется, не утвердили заведующим, и правильно сделали, ибо предупреждали. Супруга моя честолюбивая Вера Геннадиевна на месяц отлучила меня от своего белого тела, сказав, что обычно дебилы не доживают до тридцати и я — уникальный случай...

Когда стюардессы собирали подносы, я незаметно спрятал пластмассовые нож, вилку и ложечку, потому что Вика, несмотря на свой зрелый возраст, все еще продолжала играть в куклы.

— Снижаемся! — радостно сообщил Торгонавт.

Земля внизу, в отличие от наших бескрайних одноцветных просторов, напоминала лоскутное одеяло.

— Капитализм, — просунув нос между кресел, объяснил Спецкор.

8

Когда самолет толкнулся колесами о землю и помчался по посадочной полосе, постепенно избавляясь от скорости, иностранцы, летевшие с нами, зааплодировали.

— Любят западники жизнь! — прокомментировал Спецкор.

— А мы? — спросила Алла с Филиала.

— Мы любим борьбу за жизнь! — вставил я и поймал на себе неодобрительный взгляд Диаматыча.

Наверное, каждый раз, приезжая в незнакомое место, мы чем-то повторяем свой давний приход в этот неведомый мир. Отсюда, должно быть, радостное удивление и совершенно младенческий восторг по поводу всего увиденного.

По поводу огромного аэропорта с движущимися дорожками, никелированных урн непривычной формы, полицейских в странных цилиндрических фуражках с маленькими козырьками, ярко одетых детишек, лопочущих что-то очень знакомое по интонации, но совершенно непонятное по смыслу...

— За границей меня всегда поражают две вещи, — громко сказал Спецкор. — Все, даже дети, свободно говорят на иностранном языке, и абсолютно все ездят на иномарках.

К моему удивлению, наш багаж уже крутился на транспортерной ленте: это я определил, заметив чемодандинозавр Пипы Суринамской. Гегемон Толя тяжко вздохнул.

Паспортный контроль мы прошли довольно быстро, хотя к стеклянным будочкам выстроились приличные хвосты.

— Я выиграл бутылку коньяка! — радостно сообщил Торгонавт. — Мой приятель сказал, если я здесь увижу хоть одну очередь, он выставляет...

— Не обольщайтесь, — разочаровал его Спецкор. — Мы пока еще в экстерриториальных водах...

Потеряли Пейзанку, но вскоре нашли возле витрины, где был установлен трехведерный флакон духов «Шанель». Спецкор сказал ей, что, заплатив умеренную сумму, можно отлить немного духов в свою посуду. Слышавший это Гегемон Толя насупился и выругался вполголоса по поводу некоторых очень уж умных.

— Рад вас приветствовать в Париже — городе четырех революций! — не унимался Спецкор.

Поэт-метеорист, кажется немного проспавшийся, озирался вокруг, словно человек, проехавший свою станцию метро. Беспрепятственно миновав скучающих таможенников (только на Торгонавте они чуть задержали взгляды), мы сразу попали в большую толпу встречающих: помимо букетов, они держали в руках транспарантики и таблички с разными надписями. Одна невысокая смуглая женщина с короткой, мальчишечьей стрижкой размахивала над головой аккуратной картонкой:

БУРОВ — СССР

— Это мы! — удовлетворенно сообщил товарищ Буров и протянул ей ладонь для рукопожатия.

Тут же подскочивший Друг Народов обнажил

в улыбке свои заячьи зубы, протараторил что-то по-французски и, искупая мужланство шефа, галантно поцеловал руку встречавшей нас женщине. Это была мадам Жанна Лану, наш гид.

— Теперь мы будем садиться в автобус и ехать в отель, — объяснила она.

Через автобусное окно я смог увидеть и понять главное: в Париже всего много — людей, машин, витрин, памятников, деревьев... Где-то сбоку мелькнула знаменитая башня, похожая на задранную в небо дамскую ножку в черном ажурном чулке.

— Эйфелевская башня! — охнула непосредственная Пейзанка.

— Это ее макет в натуральную величину, — поправил Спецкор. — Сама башня хранится в Лувре...

— Правда? — усомнился Гегемон Толя, поглядев на мадам Лану.

— О нет! — засмеялась она.

Отель назывался «Шато», видимо, из-за декоративной башенки, как на готическом замке.

— Это неплохой отель, — сказала мадам Лану. — Должна заметить, что гостиницы в Париже — это проблема, особенно в сезон. Очень много туристов...

— И очереди бывают? — оживился Торгонавт.

— Очереди? — переспросила она. — Не думаю так.

Сложив вещи в общую кучу, мы встали посредине гостиничного холла. Портье, статью напоминавший референта члена Политбюро, записал номера наших паспортов и выдал несколько ключей с брелоками в форме больших деревянных шаров. Друг Народов извлек из кейса утвержденный еще в Москве список и, объявляя, кто с кем поселяется, лично раздавал ключи. Расклад вышел такой:

Алла с Филиала и Пейзанка.

Поэт-метеорист, Диаматыч и Гегемон Толя.

Спецкор и я.

Друг Народов и Торгонавт.

Судя по тому, что после оглашения списка оставалось еще два ключа, товарищ Буров и Пипа Суринамская заселялись в отдельные номера. В общем, типичное нарушение социальной справедливости, следить за соблюдением которой — профессия товарища Бурова.

Когда все разобрали свои вещи и выстроились к лифту, Торгонавт огорченно заметил, что, наверное, считать создавшуюся очередь аргументом в коньячном споре некорректно, так как состоит она исключительно из советских людей. Для первого раза кабинка лифта уместила лишь чемодан Пипы Суринамской и в качестве привеска — Гегемона Толю. Внезапно обнаружилось, что посредине холла остались сумка и авоська Поэта-метеориста, но сам он исчез. Мадам Лану и Друг Народов отправились на поиски, и когда мы со Спецкором последними грузились в лифт, они, наконец, привели пропащего из бара, где он угрюмо рассматривал бесчисленные сорта пива.

— Мы давно забыли запах моря! — отмахнулся от упреков Поэт-метеорист.

Нам со Спецкором досталась миленькая комнатка с видом во внутренний дворик, замечательной ванной, телевизором и широкой супружеской кроватью.

— Как будем спать? — спросил он. — Как братья или как любовники?

— Это ошибка? — наивно предположил я.

— Нет, это не ошибка, это расплата за отдельный номер для генеральши...

— А почему расплачиваемся мы?

— Вопросов, подрывающих основы нашего общества, прошу не задавать. У тебя нет скрытой гомосексуальности?

— А у тебя?

— И у меня тоже! — ответил Спецкор.

Я аккуратно развесил в шкафу мой единственный выходной костюм, две сорочки и, мысленно поделив все выдвижные ящички пополам, разложил в них остальные вещи. Потом, взяв умывально-бритвенные принадлежности, пошел в ванную комнату.

— Биде с унитазом не перепутай! — вдогонку предостерег Спецкор.

В ванной было огромное, во всю стену, зеркало, а раковина представляла собой углубление в широкой мраморной плите, являвшейся одновременно и туалетным столиком. Впрочем, это был не мрамор, а пластик. На столике лежали крошечные упаковочки мыла, шампуня и еще чего-то непонятного. Сбоку, на полке, высились стопки полотенец — от малюсенького до широченного — два раза можно обернуться. Я освежился под душем, на всякий случай пользуясь своим мылом (Друг Народов предупредил, что здесь все за деньги), а потом, протерев в запотевшем зеркале круг, как раз чтобы вмещалось лицо, стал бриться, размышляя о том, что физиономия полнеющего мужчины незаметно превращается в ряшку, на которой трудно прочесть живые муки его души. Зато некто, страдающий, скажем, несварением желудка, взглянет на вас во всем ореоле духоборческой худобы, а в глазах у него будет светиться отчаяние падшего ангела. Женщинам это нравится.

— Ну и жмоты французы! — сказал я, выходя из ванной.

— Почему?

— На неделю мыла и шампуня с гулькин нос дали...

— Нет, это только на сегодня. Они каждое утро подкладывают. Можешь брать для сувениров, — объяснил мне Спецкор и проследовал в ванную.

Перед тем как затолкать свой чемодан под кровать, я решил переложить стратегические запасы продуктов питания, собранные предусмотрительной супругой моей Верой Геннадиевной, в тумбочку. И вдруг из одного пакета вытряхнулся молоденький рыжий тараканчик. Сначала он ошалелыми зигзагами помчался по нашей белоснежной кровати, а потом вдруг замер, шевеля усиками. Я тоже замер, возмущенный столь наглым нарушением всех правил выезда из СССР. Брезгуя раздавить предателя пальцами, я поискал глазами что-нибудь прихлопывающее, а когда осторожно взял в руки глянцевый проспект отеля и размахнулся, рыжий эмигрант уже исчез. Он выбрал свободу.

— Пошли получать валюту! — распорядился, выходя из ванной, освежившийся Спецкор. — А потом обедать...

Товарищ Бугров сидел в глубоком вольтеровском кресле посредине обширного номера с окнами на набережную. Перед ним, на журнальном столике, были разложены конверты и две ведомости.

— Распишитесь вот здесь! — приказал он, и мы покорно поставили свои закорючки напротив цифры триста. — А теперь вот здесь! — И он подвинул к нам еще одну ведомость.

— А это что? — спросил Спецкор.

— По двадцать франков с каждого на представительские расходы! — строптиво объяснил присутствовавший при сем Друг Народов. — Кроме того, каждый должен сдать по бутылке в общественный фонд.

— Крутые вы ребята! — не по-доброму удивился Спецкор.

— Так положено, — закончил тему товарищ Буров.

— А одна кровать в номере — тоже «так положено»? — голосом ябеды спросил я.

— У меня тоже одна! — возразил рукспецтургруппы, озирая свой беспредельный номер, и стало ясно, что спорить бесполезно.

Спускаясь вниз, в ресторан, я нетерпеливо достал из конверта три больших бумажки по сто франков с изображением лохматого курнофея, похожего на батьку Махно в исполнении актера Чиркова. «Делакруа», — поколебавшись, сообразил я и тихо загордился собой.

Обедали мы за длинным, видно, специально для нашей группы накрытым столом.

— Хорошо быть интуристом! — сказал Спецкор, озирая приличную сервировку, дымящиеся супницы и графины с чем-то темно-красным.

— Морс? — спросила Пейзанка.

— Сама ты морс! — нервно ответил Поэтметеорист и придвинул к себе сразу два графина.

Появилась Алла с Филиала, переодевшаяся в бирюзовое, очень шедшее ей платье. И хотя за столом было несколько еще не занятых мест, она, не задумываясь, направилась к свободному стулу между мной и Спецкором. Сердце мое дрогнуло совсем по-школьному. Я налил из графина ей и себе — это было сухое вино.

— Я очень люблю красное вино! — сказала она, пригубливая из бокала. — Именно красное — оно живое...

— А наш руководитель, судя по всему, любит коньячок из общественного фонда! — кивнул Спецкор на багровую физиономию товарища Бурова.

Официант, бережно склоняясь над каждым, разлил по тарелкам суп — протертое нечто, а узнав, что мы из Москвы (Друг Народов с заячьей улыбочкой вручил ему краснознаменный значок), он мгновенно куда-то убежал и вернулся, неся большую корзину толсто нарезанного белого хлеба.

— Алла, у меня к вам очень серьезный вопрос, — начал я, когда с супом было покончено, а второго еще не принесли. — Скажите, если бы на рублях изображали творческих работников — художников, композиторов или писателей... Как бы вы их распределили?

— Писателей?

— Допустим, писателей.

— А знаете, — сказала Алла, — я, когда получила конверт, почему-то подумала о том же самом. Странно, правда?

— Наверное, у нас много общего, — игриво

заметил я и покосился на Спецкора, но он думал о чем-то своем.

— Наверное... — согласилась Алла. — Хорошо, давайте попробуем прикинуть, но только вместе... Писатели?

— Писатели.

— Значит, сначала на рубле... Самое трудное: с одной стороны, купюра мелкая, а с другой — ее в руках люди держат чаще всего...

— Может, Гоголя на рубль? — предположил я.

— Допустим, — кивнула Алла. — А на трехрублевку тогда — Тургенева.

— Может быть, лучше — Лермонтова? — засомневался я.

— Допустим. А Тургенева, значит, — на пяти рублях?

— Принимается. А кого на десятку?

— На десятку? — задумчиво повторила Алла, отщипнула корочку хлеба и положила в рот. Я вдруг заметил, что мысленно называю ее не «Алла с Филиала», а просто — «Алла». — Костя, а если на десятку Блока?

— Может, Маяковского?

— Не-ет, Блока!

— Для вас я готов на все! А кто у нас тогда будет на двадцати пяти рублях?

— Чехов! — не задумываясь, ответила Алла.

— На пятидесяти?

— Достоевский!

— Тогда на ста рублях — Лев Толстой! — подытожил я.

— Конечно! — обрадовалась Алла. — Видите, как все складно получилось! Складно и познавательно! Человек заглядывает в кошелек и приобщается...

— И главное — облагораживается процесс купли-продажи! — добавил я. — Гениально!

— А Пушкина вы на копейке выбьете? — ехидно поинтересовался Спецкор, который, оказывается, все слышал.

— Действительно, мы забыли Пушкина! — огорчилась Алла. — Без Пушкина нельзя...

Пока мы с Аллой горевали по поводу ущербности разработанной нами литературно-денежной системы, за столом вспыхнуло горячее обсуждение: как провести сегодняшний вечер, в программе обозначенный словами «свободное время». Большинство склонялось к тому, чтобы осуществить набег на какой-нибудь большой магазин.

— Мы даже можем включить это в программу, — предложил Торгонавт. — Экскурсия «Париж торговый»...

В ответ Диаматыч высказал опасение, что нас могут неправильно понять с идеологической точки зрения:

— Только прилетели — и сразу шопинг...

— Выбирайте выражения! За столом женщины! — возмутилась Пипа Суринамская.

Поставили на голосование и большинством решили отправиться в ближайший супермаркет. Мадам Лану вызвалась нас сопровождать. И вдруг Поэт-метеорист хватил кулаком по столу с такой силой, что зазвенела посуда, а один из опустевших графинов даже опрокинулся. Стало ясно, что поэт бесконтрольно напился.

— Мы давно забыли запах моря! — крикнул он и сжал свою голову ладонями, точно проверяя ее на спелость. А за его спиной изумленно застыл наш официант с подносом вторых блюд. Вероятно, он впервые видел, как человек вусмерть напивается сухим столовым вином.

9

В супермаркете я почувствовал себя папуасом, который всю жизнь молился на свои единственные стеклянные бусы и вдруг нежданно-негаданно попал в лавку, доверху набитую всевозможной бижутерией. Здесь было все, о чем только смеет мечтать советский человек, о чем он не смеет мечтать, и даже то, о чем мечтать ему не приходит в голову.

— Фантастика! — воскликнула Алла, разглядывая прелестную заколку в виде стилизованного махаона. — Вы не чувствуете себя несчастным?

— Нет. Мы с вами приехали из счастливой страны. Нас можно осчастливить комплектом постельного белья или килограммом полтавской колбасы... А представляете, сколько всего нужно французу, чтобы быть счастливым?

— Представляю... — отозвалась она и указательным пальцем погладила махаона по глянцевому крылышку.

Что в эту минуту сделал бы настоящий мужчина? Тот же Пековский или, скажем, гипотетический Игорь Маркович? Разумеется, он непринужденно взял бы понравившуюся заколку и вложил ее в прелестные ладошки. Но начнем с того, что я не настоящий мужчина, а совок, если выражаться сегодняшним языком, или ложкомой, если прибегать к изысканному словарю супруги моей молчаливой Веры Геннадиевны. Что это значит? А это значит, что судьба забросила вас в Париж и вложила в ваш бумажник трех «делакруа», судьба которых предопределена еще в Москве: они должны стать дубленкой. Каждый потраченный франк может сорвать этот детально разработанный план и вызвать необратимые процессы в вашей семье. Миллионер, покупающий своей подружке остров с виллой, по сути идет на гораздо меньшую жертву, нежели советский турист, угощающий в Париже приглянувшуюся ему даму мороженым. А махаон стоил целых 50 франков. Поэтому я горячо поддержал восхищение Аллы, но придал своему восторгу как бы музейный оттенок, словно на прилавке лежал экспонат из скифского кургана, принадлежащий государству.

Прогуливаясь по супермаркету, мы получили кое-какое представление о направленности интересов наших товарищей по поездке. Несколько раз мимо нас на крейсерской скорости пронеслась Пипа Суринамская, лицо ее побелело от напряжения, а глаза светились угрюмым восторгом. Казалось, вот сейчас она, Пипа, вдруг превратится в черную дыру и всосет в себя весь магазин вместе с товаром, продавцами и кассовыми компьютерами.

Товарища Бурова и Друга Народов мы обнаружили в секции видеомагнитофонов. Они горячо обсуждали, за сколько в Москве сейчас идет последняя модель «JVC».

Спецкор сосредоточенно рылся в отделе противозачаточных средств и сексуальной гигиены. Увидев нас, он приветливо помахал рукой и, кивнув на выставку-продажу, крикнул:

— Рекомендую!

Диаматыч застрял возле электронных игрушек и крутил в руках жуткого киборга с загорающимися глазами.

— Игрушки покупает! — многозначительно отметил я.

— Это плохо? — спросила Алла.

— Это странно...

Торгонавт обессиленно сидел в кресле возле столика с толстыми каталогами. У него был вид человека, внезапно и непоправимо утратившего смысл жизни.

— Мне жаль их! — сообщил он, скашивая глаза на улыбчивую продавщицу, помогавшую примерять туфли толстой французской пенсионерке.

— Почему? — удивилась Алла.

— Торговля без дефицита — жалкая рабыня общества... Я бы здесь не смог!

Повстречали мы и Гегемона Толю. Таща за собой здоровенную Пипину сумку, он брел вдоль бесконечного ряда кожаных мужских курток и бормотал себе под нос:

— Ну, я его, падлу, урою! Гадом буду — урою!

Потом мы с Аллой долго стояли возле рыбного прилавка и с изумлением разглядывали дары моря: разнокалиберных устриц, мидий, креветок, здоровенных головастых рыбин, переложенных мелко наколотым льдом. Я поймал себя на том, что пытаюсь подсчитать, сколько в Москве может стоить огромный буро-красный лобстер, но делаю это как-то странно: вспоминаю равный ему по цене плеер с наушниками, прикидываю, за сколько такой плеер идет в Москве, и получается, что одна клешня лобстера стоит больше месячной зарплаты ведущего программиста!

— Послушайте, Костя, — прервала мои подсчеты Алла. — Что вы хотите купить жене?

— Жене? — переспросил я.

— Вы хотите сказать, что не женаты?

— Вера Геннадиевна приказала дубленку...

— Да-а? Рассказывайте!

И я не только рассказал о своем спецзадании, но выложил также все адреса, явки, пароли и даже показал карту.

— Неужели всего триста франков?! — всплеснула руками Алла, и в глазах ее мелькнуло го выражение, с каким металась по супермаркету Пипа Суринамская. — Костечка, возьмите меня с собой! Мне тоже нужна дубленка...

— Почту за честь!

— А вы давно женаты? — вдруг спросила она.

— С детства, — ответил я.

Когда через условленный час спецгруппа собралась у автобуса, выяснилось, что никто ничего не купил. Это была лишь рекогносцировка, ибо главная заповедь советского туриста гласит: не трать валюту в первый день и не оставляй на последний!

Впрочем, нет: Диаматыч все-таки приобрел киборга с зажигающимися глазами, а Спецкор — пакетик с чем-то интимным.

Товарищ Буров кивнул головой, и Друг Народов провел перекличку: не было Поэта-метеориста, в бесчувственном состоянии оставленного в отеле, и Пейзанки...

— Где? — разгневался рукспецтургруппы.

— Она, кажется, попросила политического убежища в отделе женской одежды! — сообщил Спецкор.

— Никакой дисциплины! — возмутился Диаматыч.

Пейзанка действительно застряла там, возле полок, где было выставлено все джинсовое — от зимних курток до сапожек. Она держала в руках джинсовый купальник и безутешно рыдала. Покупатели-аборигены поглядывали на нее с опаской, а два седых, авантажных продавца совещались, как с ней поступить. В автобусе Пейзанка забилась в самый угол и всю дорогу плакала, поскуливая...

— Девочка просто не выдержала столкновения с жестокой реальностью общества потребления! — объяснил Спецкор.

— Заткнись! Деловой нашелся! — взорвался Гегемон Толя. — Ты в сельпо хоть раз был?

— Анатолий, не грубите прессе! — холодно предостерег Спецкор. — Я был везде...

— Сколько раз предупреждали! — возмутился Друг Народов. — Если человек не был в Венгрии, на худой конец — в Чехословакии, на Запад его пускать нельзя! Это же психическая травма!

Вернувшись в отель, мы выяснили, что Поэтметеорист ожил и сидит в баре над бокалом пива, бормоча что-то про чаек:

— И кричим в тоске: «Мы чайки, чайки...» Алла повела Пейзанку отпаивать седуксеном, а мадам Лану выдала каждому на ужин по пятьдесят франков. Наблюдая нашу радость, товарищ Буров предупредил, чтобы мы губы-то особенно не раскатывали, ибо раньше принимающая фирма действительно частенько выдавала деньги на ужин и даже иногда на обед, но после того, как в советских тургруппах начались повальные голодные обмороки, эту практику прикрыли.

Мы со Спецкором отправились в наш номер, вскрыли баночку мясных консервов, порезали колбаски, сырку, вскипятили чай. По ходу дела сосед рассказал мне историю о том, как один известный спортивный комментатор в отеле, за рубежом, заткнув раковину соответствующей пробочкой, с помощью кипятильника готовил себе супчик из пакета — и задремал... В результате — грандиозное замыкание и чудовищный штраф.

Поев, мы завалились в постель — каждый со своего края, — и Спецкор при помощи дистанционного пульта включил телевизор: шла реклама. Насколько я мог впетриться, роскошная блондинка расхваливала какой-то соус. Поначалу она, облизываясь, поливала им мясо и жареную картошечку, а потом просто-напросто, как в ванну, нырнула в гигантскую соусницу. Спецкор порыскал по программам и нашел информационную передачу типа нашего «Времени».

— Ты чего-нибудь понимаешь? — спросил я.

— Спасибо папе-маме, на репетитора не жалели. Волоку помаленьку!

— А мои жалели, — вздохнул я. — О чем хоть говорят-то?

— Над нами издеваются...

На экране возникло узкоглазое астматическое лицо Черненко.

— Клевещут, что якобы генсек шибко приболел, — перевел Спецкор.

— И точно! Последний месяц никого не провожает, не встречает... Вот смеху будет, если помрет!

— А знаешь анекдот? — оживился Спецкор. — Значит, мужик на Красную площадь на очередные похороны ломится. Милиционер спрашивает: «Пропуск!» А мужик: «У меня абонемент!..»

— А знаешь другой анекдот? — подхватил я. — Очередь в железнодорожную кассу. Первый просит: «Мне билет до города Брежнева, пожалуйста!» Кассир: «Пожалуйста!» Второй просит: «А мне до города Андропова!» Кассир: «Пожалуйста!» Третий просит: «А мне до города Черненко!» Кассир: «Предварительная продажа билетов за углом!»

Хохотал Спецкор громко, азартно, по-кингконговски колотя себя в грудь:

— Ну народ! Ну языкотворец! Предварительная... Жуть кошмарная!

Потом начался американский боевик. Я почти все понял и без перевода: Кей-Джи-Би готовит какую-то людоедовскую операцию, сорвать которую поручено роскошному суперагенту, владеющему смертельным ударом карате. Переупотребляв всю женскую часть советской резидентуры и переубивав мужскую часть, он, наконец, добирается до самого главного нашего генерала, руководящего всей операцией. У генерала — полковничья папаха, звезда героя величиной с орден Славы и любимое выраженьице: «Нэ подкачайтэ, рэбьята!» Суперагент засовывает генерала в трансформаторный ящик, где тот и сгорает заживо. Заканчивается фильм тем, что суперагент, получивший за выполнение задания полмиллиона, отдыхает на вилле в объятиях запредельной брюнетки, а проходящий мимо окна мусорщик достает микрофончик и докладывает: «Товарищ майор, я его выследил!»

— Чепуха! — фыркнул я.

— У каждого своя «Ошибка резидента», — рассудительно заметил Спецкор.

И совсем уже поздно, когда, наверное, уснули даже самые непослушные дети, началась викторина, суть которой сводилась к тому, что, если пытающая счастья девушка не может ответить на вопрос ведущего, она снимает с себя какую-нибудь часть туалета. Если же она угадывает, раздеваться приходится ведущему. Первая девица (а разыгрывался «мерседес») очень скоро осталась в одних ажурных трусиках и, не ответив на последний вопрос, с гримаской притворного отчаяния уже потянула было трусики книзу, но тут ведущий замахал руками и что-то закричал.

— Если она это сделает, передачу запретят за безнравственность, — перевел Спецкор.

— Перестраховщики! — расстроился я.

— Обидно, — посочувствовал мой сосед.

— У нас такого никогда не будет! — сказал я.

— Это точно, — согласился он.

Следующая девица, надо отдать ей должное, прилично подраздела ведущего, но в конце концов и сама осталась в трогательных панталончиках. Ей присудили поощрительный приз — тур на Канары.

— Слушай, сосед, — сказал мне Спецкор. — У меня тут в Париже есть знакомая...

Мадлен... Я ее в прошлом году в Домжуре снял... Тоже журналистка. Возможно, завтра я не приду ночевать...

— Ну конечно, с ней в одной койке поинтереснее, чем со мной!

— Конечно... Так вот, ты не волнуйся, а главное — не поднимай шума...

— Спи с ней спокойно, дорогой товарищ! — успокоил я его. — Но вообще-то будь поосторожнее!

— Думаешь, кто-нибудь постукивает глубинщикам?

— Кому?

— В Комитет Глубинного Бурения — КГБ...

— Думаю...

— Кто?

— Профессор...

— Не-ет... Он староват для этого дела... И потом глубинщики по-другому выглядят...

— А кто же тогда?

— Не знаю... — пожал плечами Спецкор. — Может, этот кролик из общества дружбы. Их там полно — работа такая... Ладно, давай спать. Завтра у меня взятие Парижа. Если Мадлен на своем поле выступит лучше, чем в Москве, я предложу ей руку и сердце. Ты храпишь?

— Иногда...

— Ясно, — кивнул он и достал из тумбочки беруши.

Засыпая, я думал о том, что, не дай бог, Спецкор соскочит к своей Мадлен и тогда глубинщики меня затаскают...

10

В семь часов утра нас разбудили стук в дверь и бодрый голос Друга Народов:

— Через двадцать минут в штабном номере утренняя оперативка. Явка строго обязательна!

Потом мы слышали, как он барабанит в соседний номер и объявляет то же самое. Пришлось подниматься.

— Как ты думаешь, — спросил меня Спецкор, выглядывая из ванной с зубной щеткой в руке, — Буров действительно дурак или прикидывается?

— Не знаю... Окончательно выяснится, когда он доберется до самого верха...

— И в этом наша трагедия! — покивал Спецкор.

В номере рукспецтургруппы собрались все, кроме Поэта-метеориста и Пейзанки. Побледневшая Алла шепнула мне, что провозилась со своей соседкой почти целую ночь: таблетками отпаивала, утешала, чуть не колыбельные пела, та вроде бы успокоилась, но из отеля выходить наотрез отказывается — боится новых впечатлений.

Пока товарищ Буров признавал минувший день удовлетворительным и распространялся по поводу укрепления дисциплины в группе, Торгонавт рассказал, что Поэт-метеорист пропил в баре свои франки, теперь не может голову оторвать от подушки, умоляет принести опохмелиться и обещает вернуть с премии. Одним словом, «белка» — белая горячка.

На утренней планерке постановили: Поэта-метеориста и Пейзанку оставить в покое, так как он не может выйти из номера, а она — не хочет.

Шведский стол — уникальная возможность из пестрой толпы завтракающих людей выявить соотечественников. Если человек наложил в свою тарелку сыр, ветчину, колбасу, кукурузные хлопья, булочки, пирожные, яблоки, груши, бананы, киви, яичницу-глазунью, а сверху все это полил красным соусом, — можешь, не колеблясь, подойти к такому господину, хлопнуть по плечу и сказать: «Здорово, земляк! Мы из Москвы. А ты?» Но, судя по всему, кроме нас, советских в отеле больше не было.

Наевшись до ненависти к себе, мы отправились в автобусную экскурсию по городу: Елисейские Поля, Тюильри, собор Парижской Богоматери, Центр Помпиду... Мадам Лану неутомимо объясняла, что, кем и когда было построено, кто, где и когда родился, жил, умер.

— Такое впечатление, что они домов не ломают, а только строят новые, — глядя в окошко, заметила Алла.

— Для того чтобы сломать дом, его нужно купить, — объяснил Спецкор.

— Ну, тогда бы они разорились на одном нашем Калининском проспекте! — вставил я и поймал настороженный взгляд Диаматыча.

Подъехали к Эйфелевой башне. Вблизи она напоминала гигантскую опору линии электропередачи. Мадам Лану рассказала, что поначалу французы были резко против этого чуда инженерной мысли, но потом привыкли и даже полюбили. А к двухсотлетию Великой французской революции башню должны отремонтировать.

— Тоже к круглым датам пену гонят! — не удержался я.

— Это — общечеловеческое! — добавил Спецкор.

— Вы мешаете слушать! — сердито одернул нас Диаматыч.

Я глянул на Спецкора с выражением, означавшим: «Ну, теперь-то ты убедился?» Он ответил мне движением бровей, которое можно было перевести так: «Возможно, ты не так уж далек от истины, сосед!»

Мадам Лану объяснила, что подъем на башню программой не предусмотрен, но у нас будет свободное время, и каждый сможет насладиться незабываемой панорамой Парижа. Стоит это недорого — тридцать пять франков. По тому, как все переглянулись, я понял: никто, включая меня, не насладится незабываемой панорамой, предпочитая памяти сердца грубые потребительские радости.

Обедать нас повели в китайский ресторанчик, перед входом в который стоял большой картонный дракоша и держал в лапках рекламу, обещавшую роскошный обед всего лишь за тридцать девять франков девяносто девять сантимов. Обед был действительно очень вкусный, но впечатление подпортил Спецкор, сболтнувший, будто изумительное мясное рагу приготовлено из собаки. Особенно переживала Алла, ибо дома у нее остался не только сын Миша, но и пудель Гавриил. Потом был музей Орсе. Перед входом, на площадке, окаймленной каменными фигурами, выстроилась довольно приличная очередь.

— Ура! — закричал Торгонавт. — Я выиграл!

— Я бы вам не отдал коньяк! — огорошил его Спецкор. — Очередь за искусством — это святое...

Мадам Лану объяснила, что раньше здесь был обыкновенный вокзал, но со временем необходимость в нем отпала и его переоборудовали в музей искусства XIX века.

— Они из вокзалов — музеи, а мы из музеев — вокзалы! — сказал я.

— Молодой человек, вы забываете, где находитесь! — возмутился Диаматыч.

— Он уже вспомнил и больше не будет! — поручился за меня Спецкор, а бровями показал: «Да, сосед, ты абсолютно прав!»

Когда мы вошли в музей с высоким переплетчато-прозрачным, как у нас в ГУМе, потолком, мадам Лану разъяснила, где что можно посмотреть, и вручила каждому по бесплатному проспекту. Мы разбрелись кто куда. Пипа Суринамская завистливо бродила возле портретов салонных красавиц и внимательно разглядывала их туалеты. Гегемон Толя пошел искать WC и застрял возле крепкотелых майолевских женщин. Товарищ Буров и Друг Народов остановились возле «Олимпии» и заспорили, сколько она могла бы потянуть на аукционе в Сотби. Удивил Торгонавт: он рассматривал картины через сложенную трубочкой ладонь и приговаривал: «Какие переходы! Какой мазок!» Увидев нас, он обрадовался и повел показывать «умопомрачительного» Пюви де Шаванна. При этом он возмущался тем расхожим мнением, которое бытует о торговых работниках, а ведь среди них есть люди тонкие, образованные. В частности, он, Торгонавт, уже много лет собирает молодой московский авангард.

После музея был запланирован официальный визит в советское посольство. В автобусе Алла наклонилась ко мне и тихо сказала:

— Костя, у меня к вам просьба! — Слушаю и повинуюсь! — ответил я, точно джинн, скрестив на груди руки.

— Буров просил меня вечером зайти к нему в номер...

— Зачем? — ревниво спросил я.

— Сказал, хочет посоветоваться... Я же в активе руководства...

— Ага, посельсоветоваться! Ясно...

— Костя, я прошу вас, — и она положила свою ладонь на мою руку. — Я пойду в десять часов. А вы через пятнадцать минут постучитесь к нему. На всякий случай... Вообще-то я уверена, что справлюсь сама. Знаете, бабушка научила меня специальному взгляду, отрезвляющему мужчин...

Алла вдруг отстранилась, вскинула голову и окатила меня ледяным презрительным взглядом, явно обладающим нервно-паралитическим воздействием.

— Ну, как? — спросила она, снова наклоняясь ко мне. — Действует?

— На меня действует, — сознался я. — А как на Бурова, не знаю. Так что постучу обязательно, тем более что я обещал Пековскому...

Алла посмотрела на меня с каким-то недоумением, разочарованно улыбнулась и отвернулась к окну...

Здание посольства — монстр, появившийся на свет в результате соития конструктивизма и эпохи украшательства, — располагалось, как

123

объяснила мадам Лану, в чрезвычайно фешене-
бельном районе Парижа. Встретили нас так, как
встречают гостей, от которых не удалось отвя-
заться. Подтянутые ребята нехотя проводили нас
в комнату, куда минут через десять нехотя зашел
молодой человек, удивительно похожий на нашего Друга Народов (они даже переглянулись),
но только с величественною усталостью в движе-
ниях и ровными зубами. Пока товарищ Буров
докладывал о целях и задачах нашей спецтургруппы, молодой дипломат кивал и с недоверием
разглядывал скороходовские башмаки Гегемона
Толи.

— Нравится Париж? — спросил он отечески.

— Очень! — простодушно ответили мы.

— Может быть, нужна наша помощь? —
поинтересовался он таким тоном, что попросить
после этого о чем-либо мог лишь человек, на-
прочь лишенный совести.

— Нет. У нас все в порядке, — ответил Друг
Народов, поедая глазами своего везучего двойни-
ка. — Группа дружная, дисциплинированная...

Томный полпред равнодушно кивнул, внимательно поглядел на часы и для вежливости полюбопытствовал:

— Может быть, есть вопросы?

ПАРИЖСКАЯ ЛЮБОВЬ КОСТИ ГУМАНКОВА

— Скажите, а трудно здесь работать? Все-таки капиталистическое окружение! — заискивающе спросил Диаматыч.

— Даже не представляете себе, как трудно! — вдруг оживился он. — Страшно тяжело! Все время на нервах. Все время буквально в боевой готовности! Вот позавчера: опять диверсия... Выхожу на улицу, чтобы поехать за город, а у моего «мерса» проколота шина... Понимаете?

— Ужасно! — вдруг вылетело у меня. — А я вот недавно оставил велосипед возле универсама, возвращаюсь — нет! Представляете?!

Международный юноша поморщился и встал, давая понять, что после такого глумления говорить ему с нами просто не о чем... Возле автобуса Друг Народов набросился на меня с упреками:

— Как вы посмели?! Это такой уровень!

— Ну и правильно! — заступился за меня Спецкор. — Нечего выпендриваться!

— Делаю вам замечание, Гуманков! — сурово предупредил товарищ Буров.

Вечером, после хорошего ужина с вином, проводив на свидание с Мадлен Спецкора и вполглаза глядя по телевизору фильм о том, как в оккупированном Париже расцветает любовь Катрин Денёв и Жерара Депардье, я обдумывал неиз-

125

бежность драки с товарищем Буровым и восстанавливал в памяти свои скромные навыки рукопашного боя. Лет семнадцать назад в строительном отряде меня крепко поколотили деревенские мордовороты только за то, что я из коровника, который мы строили, забрел в село. Вот, собственно, и весь навык. Потом я почему-то вспомнил, как тем же летом, в том же стройотряде Пековский оприходовал ту невзрачную девицу с экономического факультета, свою будущую жену, а после уверял, что даже понятия не имел, кем работает ее папа, а если бы имел понятие, то ни за что не стал бы иметь ее — девицу. Девица, разумеется, подзалетела, а Пековский, который уже отправил в больницу на разминирование двух отзывчивых однокурсниц, вдруг ни с того ни с сего взял и женился на жертве своего любострастия. Ребенка она, кстати сказать, доносить не смогла, а поскольку в стройотряд они больше не выезжали, то и детей у них не было.

В 22.10 я, как часовой, стоял у двери товарища Бурова и чутко прислушивался к происходящему в номере. Тишина. Легкое позвякивание чего-то стеклянного. Потом приглушенная музыка. Ничего, напоминающего посягательство на женскую добродетель. Я обдумывал, как буду объяснять сердитому на меня рукспецтургруппы свой поздний визит, когда открылась дверь другого номера и оттуда крадущейся походкой вышел Диаматыч, одетый в синюю шерстяную олимпийку «А ну-ка, дедушки!» и кожаные тапочки.

«Докладывать пошел, гад!» — подумал я и незаметно последовал за ним.

Как и следовало ожидать, спустившись в холл, он сразу подошел к телефону-автомату, при помощи которого, между прочим, можно было позвонить даже в Москву, и снял трубку. Когда, прячась за колоннами, я приблизился настолько, что мог слышать его голос, разговор уже шел к концу.

— Нет, завтра мы в семьях... Послезавтра... В одиннадцать... Раньше нельзя, у нас программа... Да и, конечно, конспирация... Нет, ничего не изменилось... Следят за каждым шагом... Около льва... Я тоже...

Вслушиваясь в его слова, я механически глянул на часы и обомлел: 22.28. Черт подери, пока я выслеживаю этого старого глубинщика, Алла там, в номере, в лапах мордатого Бурова. Бедняжка, она надеется остановить этого жлоба при помощи бабушкиного взгляда! Я рванулся назад...

Они стояли на пороге номера и церемонно прощались. Товарищ Буров нежно удерживая ее пальцы в своей лапе и журчал:

— Ничего не поделаешь, но на один день вам придется стать моей женой...

— Все это так неожиданно... — жеманилась Алла, стараясь отнять руку.

— Есть у советских людей такое слово — «надо», Аллочка! Слышали?

— Приходилось... — вздохнув, отвечала она.

Приметив меня, рукспецтургруппы с неожиданным добродушием заметил, что отбой был уже полчаса назад. Алла даже не посмотрела в мою сторону.

11

Утром, когда я умывался, вернулся Спецкор — загадочно-бледный и томно-вялый.

— Ну и как? — спросил я.

— Париж — город влюбленных! — ответил он и упал на кровать. — Если будут спрашивать, почему меня нет на планерке, скажи им, что я выпит до дна...

Но на планерке было не до моего выпитого соседа: мучительно решали, что делать с Поэтом-метеористом и Пейзанкой. Постановили: пускать их в простые французские семьи невозможно, так как он может навсегда исказить представление о советском творческом работнике, а она — окончательно чокнуться. Пусть сидят в отеле и приходят в себя.

Потом говорили о распределении по семьям. Товарищ Буров разъяснил, что при составлении списков учитывались запросы как нашей, так и французской стороны. Друг Народов, выставив по-заячьи зубы и прихихикивая, добавил, что французы — затейники, любят разные штучки и вот учудили: каждому члену нашей группы выдается картонная половинка какого-нибудь животного, а вторая половинка — у французов. Таким образом, как и предполагал старик Платон, каждый находит свою половину. Мне досталась ушастая ослиная голова.

Во время завтрака обсуждались баснословные случаи, когда, попав в богатую буржуазную семейку, советские туристы возвращались домой сказочно одаренными. Так, например, в прошлом году зафиксирован факт, когда владелец фирмы готового платья одел своего гостя буквально с головы до ног. Ходят также легендарные слухи о подаренных двухкассетниках, видеомагнитофонах, даже телевизорах. Сомнение вызвала история новенького «рено», якобы презентованного чрезвычайно полюбившемуся советскому гостю. Особенно много таких фантастических случаев знал Торгонавт.

— Еще египтяне считали, что крокодилы приносят удачу! — говорил он, показывая всем остальным свою половину с длинной зубастой пастью.

За завтраком Алла села рядом со мной, но ела молча, не отрывая глаза от тарелки, и лишь однажды царапнула меня отчужденным, бабушкиным взглядом. Разумеется, первым не выдержал я:

— Не надо так на меня смотреть... Случилось непредвиденное...

— Возможно, но на вас, Костя, нельзя положиться...

— На вас тоже...

— Что вы имеете в виду?

— Я имею в виду ваши матримониальные планы!

— Я женщина свободная!

— Оно и заметно...

Йогурт — к изумлению аборигенов, мы сгваздывали по три-четыре упаковки за завтрак, чтобы попробовать разные сорта — вишневый, клубничный, банановый, апельсиновый, черничный и так далее, — так вот, йогурт мы ели во враждебном молчании. Гегемон Толя, к полному ужасу официантов, приволок со шведского стола огромный ананас, имевший явно рекламное назначение и даже для долговечности покрытый глицерином. Пока звали метрдотеля, Толя уже отломил жесткое зеленое оперение и по-арбузному, прижав ананас к груди, взрезал его зубчатым столовым ножом.

— Ладно, — нарушила молчание Алла. — Если вам наплевать на меня, сдержите по крайней мере слово, которое вы дали Пековскому!

— Что я должен делать?

— Когда будут распределять по семьям, стойте рядом со мной.

— И только-то?

— Достаточно...

Распределение по семьям происходило в холле. Французы оживленно переговаривались, смеялись и помахивали своими половинками картонных зверушек. Мадам Лану что-то сказала им — и это было, как выстрел из стартового пистолета.

— Пролетарии всех стран, соединяйтесь! — пробурчал еще сонный Спецкор, рассматривая своего с опозданием полученного полужирафа.

Первой соединилась Пипа Суринамская. Ее хозяйка оказалась такой же дородной и осанистой, поэтому, чтобы приветственно чмокнуться, им пришлось основательно вмяться животами друг в друга. Кажется, товарищ Буров не соврал: при распределении действительно учитывались взаимные интересы. Ослабленного Спецкора увел длинный француз в берете и свободной блузе «гогеновке» — скорее всего, художник. Друга Народов забрал респектабельный, до синевы выбритый господин, несомненно имевший отношение к финансово-банковской системе.

Товарищ Буров наблюдал за этой разборкой с полководческой усмешкой, иногда при этом он нежно посматривал на Аллу и снисходительно — на меня. А тем временем оборванный парень с петушиным гребнем на голове, заглядывая в картонку, изображавшую крокодилий хвост, словно в бумажку с адресом, шел вдоль наших поредевших рядов.

— Почему я? — всхлипнул Торгонавт и спрятал за спину зубастую пасть аллигатора.

— Судьба! — посочувствовал я.

— К черту! — прошептал Торгонавт, метнулся к Гегемону Толе, равнодушно ожидавшему своей участи, и быстро поменялся с ним картонками.

— На хрена? — удивился Гегемон Толя, обнаружив, что носорог в его руках вдруг превратился в крокодила.

— Буров велел! — объяснил коварный Торгонавт.

— Ну и хрен с ним! — смирился обманутый.

Обмен привел к тому, что через минуту Торгонавт уже пожимал руку стройному седовласому кюре, одетому в строгий костюм со стоячим клерикальным воротничком. Кисло улыбаясь, Торгонавт давал понять, что святой отец, конечно, не предел желаний, но все-таки лучше, чем немытый панк!

А панк тем временем высмотрел в мозолистой руке Гегемона Толи недостающую половинку своей рептилии, приблизился, восторженно оглядел его с ног до головы и, тщательно коверкая русские слова, сказал:

— Ви э-э-э есть... наша... гость... Ви?

— А хрен его знает...

— Как э-э... вам зовут?

— Толик...

Тогда парень, тряхнув своим петушиным гребнем, обернулся и крикнул в распахнутые двери отеля:

— Мама́, папа́ Мосье Толик...

Там, на тротуаре, возле ослепительного, длиной вполулицы лимузина стояла аристократическая пара: у мужчины в петлице был цветок, кажется, орхидея, а женщина куталась в серенькое манто.

— Костя, а вы знаете, что это за мех? — тихо спросила Алла.

— Кажется, мерлушка...

— Сами вы мерлушка. Это — шиншилла!

Уводимый кюре Торгонавт оглядывался на все это полуобморочным взором и шарил по карманам с той нервной торопливостью, с какой обычно ищут валидол. А Гегемона Толю уже бережно влекли к лимузину, пожимали руку, выскочивший из машины шофер с полупоклоном открывал ему дверцу, а господин с орхидеей помогал забраться в сафьяновое нутро автомобиля, который наконец плавно тронулся и тянулся вдоль окон дол го-дол го, как поезд. И по тому, каким мечтательным взглядом проводил их товарищ Буров, я осознал: изначально аристократическая семейка предназначалась ему, но рукспецтургруппы пожертвовал очевидной выгодой ради иных, более дорогих удовольствий.

У бедного и безвластного мужчины есть одно преимущество: если женщина ему и достается, то даром.

Алла незаметно толкнула меня локтем в бок: перед нами стояла пожилая чета — старичок в добротном клетчатом пиджаке, пестром платке, повязанном вокруг морщинистой шеи, и фиолетово-се-

135

дая дама в брюках и кофте с глубоким вырезом. Они смотрели на нас, улыбаясь совершенно одинаково, — так бывает у супругов, проживших вместе всю жизнь. Дама протянула Алле свою половинку медвежонка и что-то зажурчала по-французски.

— Мы очень рады, что нам пошли навстречу и предоставили возможность принять у себя советскую супружескую пару! — перевела Алла и посмотрела на меня со строгостью.

Но пока она отвечала французам пространной и, судя по выражению их лиц, тонкой любезностью, товарищ Буров, торжествуя, подвел ко мне толстенького господина в полицейской форме и представил:

— Мосье Гуманков — рашен програмишен...

— Ес ит из! — обрадовался ажан, тоже, видимо, не полиглот.

Алла засмеялась, взяла из моих рук ушастую ослиную голову и приложила ее к хвостовой части, которую держал француз.

— Хау проблемз? — озадачился товарищ Буров.

Алла долго что-то разъясняла по-французски, в результате чего старички громко засмеялись, а полицейский восторженно хлопнул рукспецтургруппы по спине.

— Фальшен ситуэйшен! — взмолился товарищ Буров, догадываясь, что становится жертвой чудовищного по своей несправедливости обмана.

Алла улыбнулась и, понизив голос, сообщила что-то специально служителю закона. В ответ он щелкнул каблуками и, взяв нашего руководителя профессиональной хваткой, повлек его к стоявшей у дверей полицейской машине, умчавшейся в тот же миг с пронзительным воем.

— Что ты ему сказала? — спросил я.

— Когда?

— Сейчас.

— Сказала, что товарищ Буров с удовольствием отдает себя в руки славной французской полиции...

— Понял... А до этого?

— До этого... — Алла посмотрела на меня с сомнением. — Пусть это останется моей маленькой тайной. Но боюсь, что больше меня за границу не пустят...

— Меня-то уж точно не пустят... — вздохнул я.

12

Наши хозяева — мадам Марта и месье Антуан — оказались пенсионерами, а в прошлом школьными учителями: она — химии, он — истории. Пока на метро мы ехали к ним домой — на северо-запад Парижа, выяснилось, что у них две дочери, обе замужем: младшая — в Риме, а старшая — в Лионе. Мадам Марта, совсем как советская бабушка, постоянно ездит по дочкам и помогает растить четырех внучат. Месье Антуан, что типично для учителя истории, выйдя на пенсию, занимается Великой французской революцией, а также коллекционирует холодное оружие той эпохи.

Кстати, парижское метро не имеет ничего общего с нашими подземными дворцами: голая функциональность плюс большие рекламные щиты. Мне кажется, следующая цивилизация, раскопав останки нашего метрополитена, долго будет ломать голову над прежним назначением этих мраморных колонн, мозаичных панно, расписанных потолков... Как водится, возникнут гипотезы: культовая (ритуальные знаки — кабалистические звезды и перекрещенные орудия труда), сатурнально-эротическая (обилие изображений женщин с подчеркнутыми половыми признаками), внеземная концепция (изображение летательных снарядов и людей в скафандрах)... Но чудака, который выскажет бредовую мысль, будто все это имело всего лишь транспортное назначение, обсмеют и лишат ученой степени.

Еще я заметил, что в парижском метро много цветных — примерно столько же, сколько в московском — приезжих. Через Аллу я решил прояснить этот вопрос, и месье Антуан с выстраданным интернационализмом сообщил, что Париж становится новым Вавилоном.

— Это плохо? — уточнил я.

— Это неизбежно! — мужественно улыбнулся бывший учитель истории.

Наши новые французские друзья жили в многоэтажном доме, отдаленно напоминающем московские башни улучшенной планировки, выстроенные специально для каких-нибудь могучих организаций. В подъезде, правда, не было выгородки с дотошным дежурным ветераном, но зато парадную дверь месье Антуан открыл своим собственным ключом, чем, наверное, и объяснялась министерская чистота на лестнице и противоестественная нетронутость полированных стенок лифта. Пока мы поднимались на восьмой этаж, мадам Марта объяснила, что раньше они имели квартиру побольше и поближе к центру, но после того как дочки разлетелись из родительского гнезда, решено было перебраться сюда: и подешевле, и потише... А воздух!

Квартирка состояла из трех комнат, кухни-столовой, просторной прихожей и двух ванных-туалетов — одним словом, мечта народного депутата! Нас определили на жительство в просторной комнате с широким супружеским ложем. Двуспальные кровати просто преследовали меня! На крашеных стенах висели шпаги, палаши, кинжалы и даже алебарда. Нам разъяснили, что в этой комнате, когда наезжают, останавливаются дочери с мужьями. Алла озабоченно посмотрела сначала на постель, потом на меня и вздохнула. Как только мы остались одни, я предложил:

— Давай скажем, что у нас в СССР супруги спят отдельно!

— Не поймут... Еще подумают, что мы поссорились...

— А что бы ты делала, если бы на моем месте все-таки оказался Буров? — ехидно спросил я.

— То же самое — переодевалась...

— Мне выйти?

— Можешь просто отвернуться...

— А Буров не отвернулся бы...

— Константин Григорьевич, — гневно, по-бабушкиному глянув на меня, прикрикнула, Алла, — вы дурак и зануда, станьте в угол!

Слушая мягкое шуршание за моей спиной и опасливые предупреждения Аллы о том, что она еще не готова, я думал об одной странной особенности моего мужского воображения: чем красивее женщина, тем труднее мне представить ее наготу. Вот и сейчас я совершенно бессилен вообразить Аллу без одежды. Мне кажется, если я вдруг обернусь, то увижу нечто вроде огромной куклы: лицо, глаза, ресницы, волосы, руки, ноги, а посредине бесполое тряпичное туловище, сшитое из разноцветных лоскутов.

— Я готова! — сообщила она. На ней было нежно-лиловое шерстяное платье, черные лако-

141

вые туфельки и такой же поясок. — Костя, какие у вас сувениры?

— Самовар. А у вас?

— Матрешки. Вручение даров только по моей команде. Ясно?

— Ясно.

Обед начался с салата, политого маслом и посыпанного чем-то хрустящим. А потом был классический луковый суп, о котором я много слышал и прелесть которого так и не понял. Говорили о семейной жизни. Оказалось, во Франции, как и у нас, жуткое число разводов, семьи распадаются, безотцовщина и прочие кошмарные вещи. Со слов Аллы я понял, что желание наших хозяев принять у себя советскую супружескую пару связано с тем, что они состоят в каком-то добровольном обществе спасения семьи как основы общества и очень рады видеть нас — молодых, красивых, дружных, удивительно подходящих друг другу. Незаметно показав мне язык, Алла принялась рассказывать о нашем изумительном браке. Оказывается, мы познакомились еще в студенчестве и женаты двенадцать лет! Нашему Мише («О, Мишель!») — десять годков, он занимается музыкой, языками, футболом...

— И синхронным плаванием! — бухнул я, вспомнив, как водил Вику в эту самую секцию, ждал ее в сыром предбаннике бассейна, как она старалась и даже научилась высовывать ножку из воды, а потом охладела, простудилась и бросила это самое синхронное плавание.

Алла тяжело вздохнула и продолжала свой рассказ, изредка поясняя мне, о чем идет речь. Оказалось: помимо шикарной квартиры, у нас дача и два автомобиля: один — мой, а второй — ее. Дальше — больше! Мы оба увлекаемся большим теннисом, а служим программистами в престижной фирме. И эта единственная правдивая информация привела наших хозяев в бурный восторг. Мы узнали, что программисты — люди очень обеспеченные, не то что учителя...

Во время второго блюда, тушеного мяса, которое мы запивали сухим красным вином, напоминающим наше «каберне», обсуждали потрясший наших хозяев факт, что проезд в советском метро стоит всего пять копеек. Эти сведения сообщил я, совершенно забыв про свой автомобиль. Месье Антуан долго считал, царапая карандашом по салфетке, потом показал результат жене, — и они хором застонали. Чтобы вывести их из шока, Алла дала команду нести дары. И мы узнали,

143

что матрешки — их давняя любовь, а самовар — недостижимая мечта! Восторг был полный!

После короткого совещания с мадам Мартой месье Антуан удалился и скоро вернулся с запыленной бутылкой. На этикетке значился 1962 год! Он глядел на нас в ожидании ответного восторга и получил его в полной мере. Выяснилось: каждый сезон они покупают несколько дюжин бутылок нового вина, часть выпивают, остальное хранят в чулане. Год от года вино становится выдержаннее, вкуснее, крепче, а значит, — дороже. «Ведь в шестьдесят втором, — страстно рассказывал месье Антуан, — эта бутылка стоила всего несколько франков, а нынче — минимум сто!» Кстати, на сегодняшний день это самое старое вино в их коллекции.

Вино пили с сыром — сортов десять было разложено на большом фарфоровом блюде. На вопрос, любят ли сыр в России, мы ответили утвердительно и стали перечислять исторические названия: костромской, ярославский, пошехонский, степной, пикантный, голландский, колбасный, сулугуни, плавленый сырок «Дружба»…

— За дружбу! — почти по-русски провозгласил месье Антуан и поднял свой бокал с темно-красным, но не ярким, а словно чуть выцветшим вином урожая 1962 года, когда я пошел в четвертый класс. Вино было сухое, терпкое и очень крепкое, от него сразу затеплилось внутри, как от «Старки».

Потом снова говорили о детях, внуках, мадам Марта показывала фотографии, и Алла в самый последний момент пресекла мою попытку достать из бумажника снимок Вики в пионерской форме. Месье Антуан снова куда-то ушел и принес резную шкатулку из черного дерева. Внутри на красной бархатной подушечке покоился кинжал с инкрустированной ручкой. Понизив голос, бывший учитель истории сообщил, что, возможно, именно этим кинжалом был смертельно ранен Лепелетье. Мадам Марта театрально расхохоталась и что-то раздраженно сказала мужу, тот нахмурился и унес шкатулку, держа ее в руках осторожно, словно отец — позднего ребенка. Из перевода раскрасневшейся от вина Аллы я понял, что несовпадение взглядов на историческую достоверность кинжала, а главное, на его цену, несколько омрачает безоблачную старость супругов.

Спать мы разошлись за полночь. Я еще походил по квартире, якобы рассматривая коллекцию оружия, а на самом деле давая возможность Алле нестесненно подготовиться ко сну. Когда я вступил в нашу комнату, она уже лежала на краешке ложа, до горла закрывшись одеялом, а в воздухе витал свежий запах ее духов.

— Я на тебя не смотрю! — успокоила она и закрыла глаза.

«Было бы на что смотреть!» — подумал я, разувшись, и на всякий случай спрятал носки в карманы брюк.

Позже, выйдя из ванной, примыкавшей к нашей комнате, я ощутил себя гораздо увереннее, привлекательнее и чище.

— Теперь мне понятно, почему товарищ Буров... — игриво начал я.

— Товарищ Буров зря надеялся... — ответила Алла, не открывая глаз.

— А я?

— И не мечтай!

— А как же супружеский долг?

— Я буду кричать!

— Тогда французы подумают, что советские женщины — нимфоманки!

— Неужели ты этим воспользуешься? — спросила она тихо и еще крепче зажмурилась.

— Можешь не сомневаться.

— А мне казалось, ты не такой, как все...

Поразительно, но эта среднешкольная уловка, с помощью которой некогда мои одноклассницы пытались пресекать попытки во время танго сдвинуть ладонь чуть ниже талии, подействовала на меня совершенно обескураживающе. Я осторожно снял со стены шпагу с резным эфесом и, отсекая себе путь к соблазну, положил ее на постель — вдоль сокрытого одеялом Аллиного тела, а сам осторожно улегся по другую сторону клинка.

— Можешь открыть глаза.

— Это по-рыцарски! — после некоторого молчания сказала она. — Ты прелесть...

Шпага начищенно блестела, и только внутри глубокого кровотока сохранилась чернота времени. Алла выключила ночник. От ее тела исходил какой-то странный, одновременно пряный и очень домашний запах, и чем дольше я вдыхал его, тем явственнее ощущал, как внутри меня все туже и туже закручивается сладостная пружина безрассудства. О том, что случится, когда она — очень скоро! — распрямится, я догадывался и потому встал с постели, ощупью нашел в темноте кресло и устроился там в позе эмбриона, укрывшись своим пиджаком. Вино 1962 года почти заставило меня позабыть, что у Аллы нет наготы.

— Там удобнее? — спросила она.

— Спокойнее.

— Ты настоящий мужчина, — вздохнула Алла. — Я тебя уважаю...

— А зачем ты врала им про нас?.. И еще про дачу, теннис, машины?..

— Не знаю... Пусть думают, что мы счастливые и богатые...

— Пусть...

— Но мы же в самом деле могли познакомиться в институте... И все остальное... И дача у нас могла быть... И машина... Разве нет?

— Спокойной ночи, — ответил я.

— Спасибо, — отозвалась Алла, и мне послышалось, что она улыбается.

13

Утром я проснулся от того, что в грудь мне уперлось холодное острие. Надо мной стояла Алла, и в руке у нее была вчерашняя шпага.

— Вставай, Тристан! — смеялась она.

— Я проспал? — Мне показалось, что я дома и нужно мчаться на работу.

— Проспал! — кивнула Алла.

За завтраком мы пили кофе с молоком из чашек, похожих на большие пиалы, и ели булочки с маслом и джемом. Потом нас повезли в парк, вроде Сокольников, там мы гуляли, ели мороженое и обсуждали нелегкое существование французских пенсионеров в сравнении с беззаботной житухой советских ветеранов труда. В конце концов, забывшись, я все-таки вытащил фотографию

Вики, и наши хозяева, вообразив, очевидно, недоброе, все оставшееся время поглядывали на Аллу с ободряющим сочувствием.

К обеду мы должны были вернуться в лоно родной спецтургруппы. Почти у самого отеля месье Антуан вручил нам подарки — два целлофановых мешочка, в которых лежали белые носки с надписью «теннис», матерчатые повязки на голову и махровые браслеты, называющиеся, как выяснилось впоследствии, «напульсниками»... Из сопроводительного объяснения сияющего месье Антуана я уловил только одно слово — «хобби».

— О! — только и удалось выговорить мне.

— Ах! — воскликнула Алла и бросилась ему на шею, как если бы ей подарили «рено»...

Прощаясь, Алла и мадам Марта всплакнули.

Надо ли говорить, что Гегемон Толя вернулся с японским двухкассетным магнитофоном. Это вызвало приступы зависти различной силы у всех, а Торгонавта повергло в мрачное оцепенение: ему-то была подарена хлопчатобумажная маечка с изображением Эйфелевой башни.

На оперативном совещании, проведенном сразу же после обеда и посвященном пребыванию во французских семьях, нам с Аллой был объявлен строжайший выговор за внесение злостной путаницы в утвержденный порядок расселения и целенаправленный обман надежд французской общественности. Друг Народов истерично крикнул, что за такие выходки становятся невыездными, а товарищ Буров, обманутый вместе с французской общественностью, обиженно кивнул. В ответ Алла с чисто бабушкиным негодованием отвергла домыслы о каких-то там выходках и всю вину возложила на организаторов, которые вместо четкого распределения по спискам устроили какой-то детский сад с картонными зверушками, что и явилось подлинной причиной возникшей путаницы... А я добавил, что ошибка вышла не только с нами, но и с Гегемоном Толей, например. Нельзя же, в самом деле, на этом основании потребовать, чтобы он передал свой благоприобретенный магнитофон Торгонавту, первоначально запланированному для проживания в семье аристократов...

Торгонавт вскинулся и посмотрел на нас глазами смертельно больного человека, на мгновение вообразившего, что врачи просто-напросто перепутали пробирки с анализами.

— Как вам не стыдно! — возмутился Друг Народов. — Мы вас пожалели, записали в резерв, а вы...

— Ладно, — тяжело вздохнул товарищ Буров. — Оргвыводы раньше нужно было делать... Теперь-то что говорить...

И мне стало жалко его, захотелось подойти, хлопнуть по начальственному плечу и сказать: «Не горюй, Буров, ничего же не было! Между нами лежала шпага!»

Вторым вопросом рассматривали заявление Поэта-метеориста и Пейзанки. Оказалось, пока мы прохлаждались в семьях, у них все стало совсем серьезно. Он читал ей стихи, она внимала в недоуменном восхищении, бегала в бар за выпивкой, а поутру лелеяла его похмельную грусть. Для целенаправленно пьющего человека очень важно, чтобы утром был кто-нибудь рядом. Исходя из моего личного опыта, похмелье можно условно разделить на три стадии:

Плохендро-I (5 — 6 часов утра).
Плохендро-II (11 — 12 часов дня).
Плохендро-III (4 — 5 часов дня).

Искусство заключается в том, чтобы лаской и строго последовательным введением в организм определенных доз алкоголя избавить похмельный организм от мучений на этапе Плохендро-I, в крайнем случае, на этапе Плохендро-II, не доводя дело до ужасного Плохендро-III. Все три предыдущие жены Поэта-метеориста этим искусством так и не овладели, хотя были женщинами тонкими и образованными. А вот Пейзанка, выросшая в колхозе с прочными питейными традициями, сызмальства приставленная к безбрежно пьющим отцу, старшему брату и крестному, играючи разобралась в недужных ритмах Поэта-метеориста — все остальное упиралось в денежную проблему, но Машенька отнеслась к своим франкам с той же беззаботностью, с какой некогда ее мама — к облигациям государственного займа 1947 года. Короче, теперь, найдя друг друга, они обратились с просьбой разрешить им проживание в одном номере.

— Мы тут вам не загс! — угрюмо отрубил товарищ Буров, забыв, что сам еще вчера пытался навязаться Алле в мужья.

— Что же делать? — огорчилась Пейзанка.

— Идите в мэрию и оформите брак! — со смехом посоветовал Спецкор.

— Странные у вас шуточки! — неизвестно кого одернул Друг Народов.

Он вообще был озлоблен, так как принимавший его финансовый деятель подарил ему визитную карточку и предложил широко пользоваться услугами своего банка.

— Мы с тобою — городские чайки! — высокомерно пробубнил Поэт-метеорист, обнял свою новую подругу, и они покинули штабной номер.

Во второй половине дня нас возили по революционным местам Парижа. Мадам Лану объясняла: вот здесь стояла гильотина, а тут везли на казнь Дантона, и он крикнул: «Робеспьер, ты последуешь за мной!» А там были баррикады в 1848 году. Возложили цветы у Стены коммунаров на кладбище Пер-Лашез. В завершение отправились в музей-квартиру Ленина.

— Интересно, какие у него были суточные? — тихонько спросил меня Спецкор, осматривая помещение, в котором живал вождь.

Я хотел было пошутить про то, что суточные ему, видимо, платили большие, но потом сэкономили на проезде в германском опломбированном вагоне, но, поймав на себе исполненный священного идеологического гнева взгляд Диаматыча, промолчал.

Вечером мы лежали со Спецкором в постели, попивали красное винцо из бутылки, уведенной с ужина, и смотрели по телевизору фильм о любви стареющей врачихи к красивому, но обреченному юноше. Она делала все, чтобы облегчить его участь, даже знакомила его с хорошенькими девчушками, подглядывала, как он занимался с ними любовью в отдельной больничной палате, и плакала от ревности, нежности и бессилия...

— Ой! — вдруг подскочил я. — Забыл!

— Ты куда? — удивился Спецкор.

— Сегодня же выход на связь!

— Не забудь, что прелюдия должна быть в три раза длиннее, чем сама связь! — посоветовал он мне вдогонку.

Диаматыча я обнаружил недалеко от отеля, в скверике, возле огромного зелено-бронзового льва, под постаментом которого, если верить мадам Лану, находится лаз в парижские катакомбы. Рядом с профессором стояли не слишком молодая и привлекательная, но хорошо одетая женщина в очках и мальчик, почти подросток, иронически рассматривавший уже знакомого мне киборга с зажигающимися глазами. Я не слышал, о чем они говорили, так как спрятался за деревом шагах в пятнадцати от них, но судя по тому, как Диаматыч мотал головой, он отказывался от каких-то настойчивых предложений женщины, которая вдруг заплакала, полезла в сумочку за платком, а мальчик, выключив киборга, с досадой посмотрел на нее и даже осуждающе дернул за рукав. Тогда женщина дала мальчику деньги и отправила к лотку с прохладительными напитками, работающему, несмотря на такой поздний час. Едва пацан, сверкая белыми кроссовками, убежал, женщина обняла Диаматыча за шею и стала гладить по голове. Поначалу он стоял, беспомощно опустив руки, а потом тоже обнял ее, но неловко и очень вежливо, точно незнакомку в танце. Воротился мальчик с тремя банками кока-колы. Диаматыч опасливо, как если бы это была граната, потянул за кольцо и именно тогда увидел меня.

Несколько мгновений мы смотрели друг другу в глаза, а потом, сжав в руке банку, как булыжник, он двинулся в мою сторону. Нет, сначала он что-то сказал женщине, и она сразу изменилась в лице. А вот мальчик, слышавший те же слова, глянул на меня без всякого интереса. Диаматыч подошел ко мне вплотную. Банка в его кулаке сплющилась, и мокрая лампасина тянулась вдоль брючины. Губы у него дрожали, словно он хотел зарычать, приоткрывались, и я заметил, что верхние зубы у Диаматыча пластмассово-белые, а нижние — желтые и выщербленные.

— Все-таки выследил, филер проклятый! — задыхаясь от ненависти, проговорил он. — Шпион... Сексот... Стукач... Доносчик...

Сосредоточившись на разнообразии слов, обозначающих в русском языке эту древнюю профессию, я поначалу не въехал, что в данном конкретном случае сказанное относится непосредственно ко мне, а когда понял, то от удивления не смог вымолвить ни звука.

— Это вас не касается! — продолжал он, но уже не так кровожадно. — Это мое личное дело! Почему вы всюду лезете? Я честный человек! Я член партии! Почему я не могу увидеть женщину, которую люблю... любил...

То, что Диаматыч никакой не глубинщик, я понял сразу, как только увидел в руках у парнишки киборга, но то, что у этого старого марксоведа и энгельсолюба здесь, в Париже, есть любимая женщина, было настолько ошеломляющим, что я снова не нашелся что ответить.

— Я знаю, вас специально ко мне приставили! — оскалился Диаматыч. — Вы меня нарочно со своим дружком подначивали! Кололи? Да? Радуйтесь, раскололи... Теперь медаль получите! А я ее все равно должен был увидеть. Мы десять лет не виделись! Мальчик уже вырос, а я ему игрушку купил... Вы должны меня понять! Вы же тоже коммунист... У вас ведь в КГБ все коммунисты? Да? — И он с жалобной надеждой посмотрел на меня.

— Я не из КГБ. — Ко мне наконец вернулся дар речи.

— А откуда? — почти с ужасом спросил он.

— Из вычислительного центра «Алгоритм».

— Понятно, — обреченно кивнул Диаматыч. — Товарищ... Простите, не знаю вашего звания, что мне за это будет?

— Трудно сказать...

— Прошу вас, скажите правду!

— Кто эта женщина? Только сразу и честно! — строго спросил я, подражая какому-то чекисту из какой-то детективной многосерятины.

— Она была моей аспиранткой, — с готовностью сообщил Диаматыч. — Но я не мог развестись с женой... Потом она уехала к родственникам. Сюда... Я тоже мог уехать с ней... Но для меня Родина...

— Да бросьте... Я же сказал, что не из органов...

— Да, разумеется! — закивал он, давая понять, что правила конспирации им поняты и приняты к исполнению. — Что мне за это будет?

— Оставаться не собираетесь? — глядя ему в переносицу, спросил я.

— В каком смысле?

— В смысле политического убежища...

— Что вы! — возмутился он и вспотел. — У меня в Москве жена полупарализованная... Что я говорю! Я Родину никогда не продам...

— Ясно! — сурово перебил я. — Это меняет дело. Вашу ситуацию в рапорт включать не буду. Женщина. Ребенок. Это мы понимаем. Такие же люди, между прочим...

— Спасибо! — вздохнул Диаматыч, и глаза его замутились ожиданием слез.

— Сегодня уже поздно. Даю вам десять минут на окончание разговора и прощание. Завтра разрешаю вам сходить к ним в гости. Ненадолго!

— Спасибо... — заплакал он.

— Прекратите! На нас смотрят! — одернул я, поражаясь своей почти профессиональной суровости. — И запомните: мы здесь не встречались. Работаю я в вычислительном центре «Алгоритм»!

— Да... Конечно... Я понимаю... Ваша работа очень важная! Мы все должны помогать!

«Боже мой, — думал я, возвращаясь в отель. — Как, оказывается, просто и сладко быть судьей ближнего своего, как это легко и азартно карать или миловать по своему усмотрению и видеть в глазах испуг, вызванный одним-единственным словом твоим, одной-единственной усмешкой, одним-единственным жестом! Не-ет, если жизнь ни разу по-настоящему не искушала тебя, нельзя гордиться чистотой своей совести... Как нельзя гордиться тем, что, родившись в Москве, ты не «окаешь»... Но что он нашел в этой очкастой аспирантке, не понимаю!»

Поднимаясь в свой номер, после мучительных колебаний я решил поскрестись в дверь Аллы. Послышались шаги, а потом шепот:

— Кто там?

— Это я...

— Кто «я»? — уточнила Алла, явно издеваясь.

— Я, Костя...

— Ах, Костя... Тебе что-нибудь нужно?

— Поговорить...

— Поговорить? Ты со шпагой?

— Не-ет...

— Тогда спокойной ночи!

14

Утром, нежась в постели, я наблюдал, как Спецкор истязает себя гимнастикой, и с грустью думал о том, что все мои мускулы давно пропали без вести под слоем жирка, а вот он буквально весь состоит из отчетливых мышц и напоминает гипсового человека-экорше, рисовать которого мне приходилось в школе. И вообще, наверное, Спецкор относится к женщинам, как собиратель букета к степным цветикам: захотел — нагнулся и сорвал, не захотел — мимо прошел.

— Послушай, сосед... — начал я.

— Слушаю... — отозвался он, изо всех сил упираясь в стену, точно желая ее сдвинуть с места.

— А ведь Диаматыч не глубинщик...

— А я тебе с самого начала говорил...

— Послушай, сосед...

— Слушаю... — ответил Спецкор, становясь на голову.

— Ты свою француженку долго уламывал?

— Фу, Костя! — возмутился он, пребывая в антиподском положении. — Ты, наверное, хотел сказать — обольщал?!

— Ну, обольщал...

— Довольно-таки долго... Если бы я не знал французского, вышло бы гораздо быстрее. Слова — это время... — отвечал он, страдая от перевернутости.

— А ты не боишься, что у тебя из-за нее неприятности будут?

— Нет. Ради Мадлен я готов на все! Ф-у-у... — Спецкор кувырком воротился в исходное положение и начал делать самомассаж.

— Тогда нам нужно договориться... — осторожно приступил я к щекотливой теме. — Если ты... Ну... Понимаешь?

— Понимаю. Если я соскочу... Да?

— Да. Соскочишь. К Мадлен. Меня, естественно, будут допрашивать!

— Опрашивать...

— Ну ладно — про тебя расспрашивать... Что я должен говорить?..

162

— Вали на меня, как на мертвого! — разрешил Спецкор. Он закончил самомассаж и направлялся в ванную. — Говори, что я производил впечатление человека, беззаветно влюбленного в Родину, и что мое предательство для тебя огромное потрясение, второе по силе после родового шока, когда ты высунулся в жизнь и крикнул: «У-а!»

За завтраком дружно выпытывали у Гегемона Толи, как ему жилось в замке у аристократов. Он скупо рассказывал про гараж с десятком автомобилей, про винный погреб, способный в течение месяца поддерживать нормальную жизнь нашего районного центра, про гардеробную, где можно заблудиться в шубах и дубленках...

— Ох! — только и смогла вымолвить Пипа Суринамская.

— Вот тебе и «ох»! — разозлился Гегемон Толя. — Ну я его, падлу, урою!

— Кого? — спросил Спецкор.

— Есть кого...

Алла выглядела в то утро рассеянно-обаятельной, и официант, принесший кофе, сделал ей какой-то тонкий комплимент, на который она улыбнулась с грустной благодарностью.

— Как спалось? — полюбопытствовал я, допивая четвертый стакан апельсинового сока.

— Одиноко! — вздохнула Алла.

— Неужели?

— Да. Машенька ушла с поэтом гулять по ночному Парижу... Вернулись утром... Мне кажется, у них серьезно...

— Интересно, о чем они разговаривают?

— О нем, — пожала плечами Алла. — Точнее, он говорит о себе, а она слушает и не перебивает. Мужчины врут, что им хочется понимания. На самом деле они просто хотят, чтобы женщины заглядывали им в рот...

— Не знаю... Мне в рот только дантисты заглядывают...

— О! Тогда ты еще можешь составить счастье неглупой одинокой женщине!

— Я готов.

— А за дубленкой мы сегодня идем?

— Я готов...

...Около Лувра все было перерыто и перегорожено. Здесь что-то строили, но без грязи.

— К двухсотлетию Великой французской революции, — разъяснила мадам Лану, — будет сооружена стеклянная пирамида. По проекту китайского архитектора Пея...

— Почему китайского? — удивился товарищ Буров.

— Так решено, — покачала она головой, давая понять, что и сама не в восторге от такого выбора. — В пирамиде будут входы в музей, кафе, магазин, офисы... Многие французы считают, что это ни к чему. Я думаю примерно так же...

— Но Лувр-то не снесут? — спросил я.

— Простите... Куда его должны перенести? — не поняла переводчица.

— Он хотел сказать, что Лувр ведь ломать не собираются! — пояснил Спецкор.

— Это невозможно! — замахала руками мадам Лану.

— А чего ж вы тогда волнуетесь? — выдал я. — Подумаешь, пирамида! Если бы бассейн на месте Лувра — тогда я еще понимаю!

— Молодые люди, попрошу ваше остроумие держать при себе! — решительно одернул нас Диаматыч и глянул на меня глазами прилежного ученика, ожидающего похвалы.

Сначала ходили по Лувру кучно и громко — так, что все оборачивались, — делились впечатлениями. Один советский гражданин внешторговского подвида, ласково разъяснявший своей малолетней дочке сюжет картины «Юдифь и Олоферн», завидев нас, поспешно увел прочь ребенка, чтобы не травмировать восприимчивую детскую психику преждевременной встречей с соотечественниками. Возможно, он был прав!

Поэт-метеорист. Потрясающе! Непостижимо! Великолепно! Первый раз вижу музей, где продают пиво!

Пипа Суринамская (глядя на мумию). Господи, какая худенькая!

Торгонавт (восторженно озираясь). Я хочу быть простой серой луврской мышью! Чтоб жить здесь...

Алла (возле Венеры Милосской). Все разглядывают ее наготу, а ей нечем закрыть лицо от стыда... Понимаешь?

Диаматыч (громко и внятно). Подумаешь, Лувр... Эрмитаж лучше!

Гегемон Толя (глядя на статую Гермафродита). Не понял... Ни хрена не понял!

Пейзанка. А у нас такой же мужичок в деревне был. Знаешь, как его называли?

Гегемон Толя. Как?

Пейзанка. Бабатя!

Спецкор (возле «Джоконды»). Женщину с такой улыбочкой полюбить нельзя. Все время будет казаться, что ты опять ляпнул какую-то глупость...

Товарищ Буров. Вечером надо на Пляс Пигаль сходить. А то в Москве мужики спросят — рассказать нечего...

Друг Народов. Сходим.

Постепенно спецтургруппа рассеялась, разбрелась по залам, и мы с Аллой смогли приступать к осуществлению намеченного плана, но она все никак не хотела уходить и жалобно просила разрешения походить по Лувру еще немного.

— Может, тебе искусство дороже дубленки? — съехидничал я.

— Как ты можешь сравнивать! — обиделась Алла, и мы пошли к выходу.

Времени было в обрез. Сверяясь с планом, начертанным рукой супруги моей предусмотрительной Веры Геннадиевны, мы, расталкивая удивительно вежливых прохожих, помчались по рю дю Лувр, затем по рю Монмартр, потом еще по какой-то улице, выскочили к бульвару, пересекли его и, как было предначертано супругой моей прозорливой Верой Геннадиевной, повернули налево, пробежали указанные двести метров и остановились у входа, задернутого черной бархатной гардиной, — ни витрины, ни надписи, ничего...

— По-моему, это не совсем то... — с сомнением проговорила Алла.

— А ты хочешь, чтобы дубленки за триста франков продавались у всех на виду? Их давно бы расхватали! — возразил я.

Мы вошли вовнутрь. В конце просторного, уходящего в глубь дома помещения виднелись кабинки, похожие на примерочные в наших ателье, но только вместо зеркал там были установлены небольшие телевизоры. Вдоль стен тянулись стеклянные витрины со всякой ошарашивающей всячиной. Первое, что бросалось в глаза, — шеренги детородных органов обеих специализаций, убывающих по размеру, подобно мраморным слоникам на бабушкином комоде. Немного выше, по стенам, висели надутые резиновые девицы всех конституций, рас и оттенков. На низких стеклянных столиках были навалены груды журналов и видеокассет с цветными непотребствами на обложках.

Из боковой двери нам навстречу вышел улыбающийся прыщеватый парень явно латиноамериканского происхождения. Всем своим видом изображая готовность выполнить любое, даже самое изощренное желание, он радостно поприветствовал нас и сразу посерьезнел, точно доктор, приготовившийся выслушать жалобы пациента. Алла совершенно онемела от ужаса и стыда, поэтому переговоры пришлось начать мне, безъязыкому.

— Мсье Плюш... — сказал я и пальцами изобразил в воздухе нечто кудряво-меховое. — Дубленка...

— Плюш? — с уважением переспросил хозяин сексмага. — О'кей!

Он принес из закромов большой мохнатый плед в полиэтиленовой упаковке, а когда плед был любовно разложен на столе, то оказалось, что это синтетическая медвежья шкура, очень похожая на настоящую, но только легкая (он подбросил ее), мягкая; (он погладил ее) и на молнии (он застегнул и расстегнул ее)... Кроме того, продавец знаками горячо рекомендовал нам в комплекте со шкурой приобрести звероподобный фаллический вибратор, работающий как от сети, так и на батарейках...

Мы с Аллой бежали до тех пор, пока снова не оказались в том месте, где улица, названия которой я, конечно, не помню, утыкается в бульвар.

— Может быть, твоя жена что-нибудь перепутала? — стараясь не глядеть на меня, спросила Алла.

— Едва ли, — озираясь по сторонам, чтобы не встретиться с ней взглядом, ответил я. —

Обычно она ничего не путает. Разве что «лево» и «право»... Такое с ней случается...

Через двести шагов, сделанных в направлении, прямо противоположном предписанному супругой моей непутевой Верой Геннадиевной, мы очутились возле магазинчика с маленькой витриной, в которой на невидимых ниточках висела рыжая замшевая куртка, напоминающая полураздетого Человека-невидимку... Перед дверью, на тротуаре, были выставлены две стойки с рубашками, пиджаками, свитерами, куртками, брюками, явно уже побывавшими в употреблении и сданными сюда незадолго до того момента, когда их смело можно использовать для работ в саду или гараже.

Мы толкнули дверь, раздался звон колокольчика, и навстречу нам вышел лысый человек с прискорбно большим носом.

— Мсье Плюш? — опасливо спросил я.

— К вашим услугам! — ответил он на чистом русском языке.

— Вам привет от Мананы!

— Благодарю, — безрадостно улыбнулся он и глазами показал на стеклянный шкафчик, где, словно в тесной очереди за дефицитом, спрессовались дубленки и кожаные пальто. — Для мамы?

— Да! — в один голос ответили мы.

Мсье Плюш с равнодушием навек охладевшего мужчины внимательно осмотрел Аллу, задержав бесстрастный взгляд на груди и бедрах, потом шагнул к шкафу, отодвинул стеклянную дверцу и достал восхитительную шоколадную дубленку с пепельно-коричневыми ламовыми воротником, манжетами и опушкой.

— Эта, полагаю, подойдет! — проговорил он и умело помог Алле надеть дубленку. — Тютелька в тютельку!

Мне стало вдруг смешно от этих трогательных словечек, которых в России я не слышал уже лет пятнадцать. Моя покойная бабушка, царствие ей небесное, любила так говорить — тютелька в тютельку... Алла тем временем подошла к зеркалу и, кутая лицо в воротник, несколько раз поворотилась то в одну, то в другую сторону. Дубленка доходила ей почти до щиколоток и сидела великолепно. Имелись, конечно, и недостатки: на спине, ближе к рукаву, обнаружился художественно выполненный шов (сантиметров пятнадцать), плечи были покрыты многочисленными мелкими морщинами, точно рябь на воде, да еще правая пола казалась чуть светлее, чем левая, но для того, чтобы заметить все это, нужно было очень уж всматриваться.

— Здорово! — наконец вымолвила Алла. — Французская?

— Турецкая, — чуть обиженно ответил мсье Плюш. — Без дефектов она стоит три тысячи франков.

— А с дефектами? — спросил я, беря на себя вопрос о цене.

— Триста пятьдесят.

— А Манана говорила — триста! — сам удивляясь своей сквалыжности, возразил я.

— Жизнь дорожает, — вздохнул мсье Плюш. — И потом, Манана покупает оптом...

— Мы тоже возьмем две. Еще одну, точно такую же...

— Во-первых, две — это еще не оптом. А во-вторых, точно такой же у меня сейчас нет.

— А что есть? — похолодел я.

— Вот, пожалуйста! — И он достал из стеклянного шкафчика нечто напоминающее доху закарпатского пастуха.

— Нам это не подойдет! — взмолилась Алла.

— Как угодно...

— Что же делать? — расстроился я.

— Ничего страшного, — успокоил мсье Плюш. — Приходите послезавтра, и вы получите свою дубленку.

— А может, поищете сегодня? — попросила огорчившаяся за меня Алла.

— Дорогие мои товарищи, — улыбнулся мсье Плюш, — под прилавком я искал, когда работал директором комиссионного магазина в Ростове. Только послезавтра.

— Но послезавтра мы улетаем! — объяснила Алла.

— Когда ваш самолет?

— В пятнадцать двадцать...

— Приходите в десять, и вы получите свою дубленку. Учитывая неудобства, я сделаю вам скидку пятьдесят франков.

— Точно? — не удержался я.

— Неточные здесь прогорают в неделю! — снова погрустнев, отозвался мсье Плюш.

Умело сложенная, дубленка превратилась в небольшой и довольно легкий сверток. Алла отсчитала свои триста пятьдесят франков, и на ее лбу тут же разгладилась морщинка приобретательства.

— Привет Манане! — провожая нас к выходу, сказал мсье Плюш. — И пусть в следующий раз привезет побольше звездочек. Скажите ей, я возьму по пять франков за штуку...

— Каких звездочек?

173

— С маленьким кудрявым Лениным. Мана-на знает. Очень хорошо тут идут, чтоб вы не сомневались...

На улице Алла долго и нежно успокаивала меня: мол, один день ничего не решает, а зато пятьдесят франков на дороге не валяются. Потом, вдруг озаботившись, она стала выспрашивать, не слишком ли бросаются в глаза дефекты ее обновки.

— Совершенно не бросаются, — в свою очередь утешил я. — Представь, что ты купила ее за три тысячи и один раз проехала на метро в час пик...

К Лувру мы возвратились, разумеется, с опозданием: полчаса назад экскурсия должна была кончиться, но у выхода не было никого из наших, кроме Торгонавта. Он, видимо, передумал быть серой музейной мышью и энергично впаривал изумленным туристам стеклянные баночки с икрой. Негры, поблизости торговавшие открытками и буклетами, поглядывали на него с неудовольствием. Заметив нас, Торгонавт крикнул, что, если у меня или у Аллы есть с собой икорка на продажу, он с удовольствием поможет нам ее пристроить, не взяв ничего за посредничество.

Наконец объявилась и наша спецтургруппа. Друг Народов громко возмущался полным отсутствием дисциплины: все разбрелись по Лувру, полностью потеряв ориентацию во времени и пространстве. Но, слава богу, мадам Лану догадалась устроить засаду возле «Гермафродита» и постепенно выловила всю группу.

Нашего отсутствия никто не заметил, и только Диаматыч с пониманием покосился на сверток у меня в руке.

15

— А сейчас три часа свободного времени, — объявил Друг Народов.

— Три часа на разграбление Парижа! — пояснил я.

Товарищ Буров неодобрительно выпятил подбородок.

— Через три часа встречаемся у автобуса! — продолжал инструктаж замрукспецтургруппы. — Опоздавшие будут...

— Лишены советского гражданства! — прибавил я.

Все засмеялись, а Спецкор показал мне большой палец: мол, растешь, сосед!

— С вами, Гуманков, мы еще поговорим! — грозно предупредил товарищ Буров. — А теперь все свободны. Время пошло!

Как по команде, наша спецтургруппа рину-
лась на штурм Парижа торгового, а мы с Аллой
двинулись по улице с праздной неторопливостью
людей, которым некуда больше спешить и нечего
больше купить. Опускались сумерки. Сквозь ви-
тринное стекло маленького магазинчика мы за-
приметили Торгонавта. Он протянул хозяину-ки-
тайцу руку, как для поцелуя, а тот, склонясь, внимательно рассматривал перстень с печаткой
в виде Медного всадника.

— Костя, остается пятьдесят франков. Давай купим чего-нибудь для тебя, — предложила
Алла. — Одеколон, например...

— А если этот Плюш-жоржет передумает
и захочет триста пятьдесят? — усомнился я.

— Он обещал!

— А если?!. И потом, я хочу купить жвачку
Вике...

— Очень жаль, что ты так мало думаешь
о себе! — раздраженно сказала Алла.

Ради праздного любопытства мы зашли
в «Тати» — это, как объяснила нам мадам Лану,
самые дешевые парижские универмаги, приду-
манные, между прочим, русским человеком с не-
пустячной фамилией — Татищев. В «Тати» было по-мосторговски людно, шумно и душно, от-

чего я сразу почувствовал себя по-домашнему. К кассам выстроились длинные горластые очереди. Покупатели с раздувшимися пакетами не могли разойтись в узких проходах между рядами вешалок. Две толстые негритянки совсем по-нашему бранились из-за кофточки, одновременно, за разные рукава, вытянутой из разноцветной кучи дешевого тряпья. Возле груды галстуков, похожей на клубок тропических змей, Пипа Суринамская выбирала обновку для Гегемона Толи, который стоял, выпятив грудь и поедая генеральшу глазами.

— Знаешь, — сказала Алла, — когда я у девиц в Москве видела пакеты «Тати», я, дурочка, думала, что это что-то шикарное, вроде Кардена.

— Я тоже.

— Костя, зачем ты дразнишь Бурова? Ты очень смелый?

— Нет, не очень...

— Тогда зачем?

— Чтобы понравиться тебе.

— Ты — ребенок.

— Тебе это не нравится?..

— К сожалению, нравится...

— Почему «к сожалению»?

— Если б я знала... почему!

На улице прямо по тротуару были расстелены зеленые и малиновые паласы, на них стояли легкие столики, а у столиков на ажурных стульчиках сидели веселые люди, они пили кофе из крошечных чашечек, вино из высоких бокалов, но особенно меня поразила огромная пивная кружка — в два раза больше моей, тоже не маленькой, дулевской емкости. Из этой кружищи лениво прихлебывал дохлый юнец, наверное, еще не зарабатывающий даже на лимонад.

Уличный торговец цветами, по виду араб, профессионально уловив мою мягкотелость, привязался к нам с букетом белых роз. Он переводил взгляд с влажных бутонов на Аллу, цокал языком — и, понимая, что, если меня не остановят, произойдет непоправимое, я полез в карман. Но великодушная Алла сердито накричала на цветоношу, и он, совершенно не огорчившись, исчез.

Я представил себе, что у меня очень много франков. Не важно сколько... Достаточно, чтобы зайти в универмаг (не «Тати», конечно!) и выйти одетым, как истый парижанин. Интересно, смог бы я так же непринужденно сидеть у столика, так же рассеянно-добродушно озирать уличную все-

ленную, так же лениво потягивать пиво из при-
чудливой, как реторта, кружки?.. Нет, не смог
бы... Пековский смог бы, а я нет... Почему окру-
жающий мир для меня не источник радости, а источник постоянно ожидаемой опасности? Почему
к пяти общедоступным чувствам в меня всажено
шестое — испуг? Нет, это не страх перед чем-то
определенным. Это способ постижения жизни:
зрение, обоняние, осязание, слух, вкус и — испуг. У ящерицы есть юркий язычок, которым она
перепроверяет свое зрение, а у меня — испуг...

— О чем ты думаешь? — спросила Алла.

— О нас...

Но я думал о моей матери. Давно, еще в пору
своей профсоюзной активности, она водила по
заводу иностранную делегацию, кажется чехов,
показывала производство, объясняла техноло-
гию — и чехи преподнесли ей сверток. Она впо-
пыхах сунула его в служебный сейф с профсоюзной документацией, повела зарубежных друзей
обедать в заводскую столовую, где по такому
случаю состряпали что-то особенное из продуктов, выделенных по лимиту специальным распо-
ряжением райкома партии. Домой мать приехала
поздно, уснула мгновенно, а среди ночи вскочила от ужаса: ей приснилось, что в свертке —

бомба. Рыдания, ругань ничего не понимающего спросонья отца, ночное такси, поездка через весь город, ключ, никак не попадающий в замочную скважину, надгробие стального сейфа, сверток, к которому страшно прикоснуться, но позвонить куда следует еще страшней, неизвестно уж какая таблетка валидола под онемевший от мятной горечи язык... И шесть фужеров из чешского стекла в коробке, переложенные синтетической мягкостью...

— Ты давно знаешь Пековского? — спросил я.

— Не очень. Мы познакомились после моего развода. Он принимал у меня вместе с заказчиком программу...

— А кто был твой муж?

— Не знаю...

— В каком смысле?

— В прямом. Я выходила замуж за чудесного парня... Однокурсника. Умного, веселого, сильного. Любого перепьет, любого перешутит, любому в морду даст, если нужно... И он не имел ничего общего с тем существом, которое поселилось потом у меня на диване перед телевизором... Костя, может быть, мужчины в браке окукливаются, как насекомые?

— Возможно, — не стал спорить я.

— Мой муж говорил так: коммуняки делают все, чтобы я ничего не затевал и не задумывался, а я буду вообще лежать и совсем не думать... Когда же так поступят миллионы, этот огосударствленный идиотизм рухнет!

— Ты была замужем за умным человеком! — удивился я.

— Да, умным и жалким... Это легко. Ты попробуй вопреки всему быть белозубым, веселым, богатым!

— Это трудно, — вздохнул я и языком нащупал в зубе дырку, которую давно собирался запломбировать.

— Да, трудно! Нужно напрягаться. Борец — это не запаршивевший диссидент с Солженицыным за пазухой, а тот, кто умудряется вопреки всему жить, как человек...

— Как Пековский? — уточнил я.

— Я не люблю Пековского. Успокойся! Но он способен сопротивляться жизни. Он может защитить от нее. Понимаешь? Пусть лучше нелюбимый защитник, чем любимый — как это Машенька сказала? — бабатя...

И Алла посмотрела на меня с таким гневом, что сердце мое похолодело. Когда красивая женщина сердится, она становится еще красивее. Заглядевшись на Аллу, я чуть не врезался в отрешенно лобзающуюся парочку. Уличный поток обтекал их так, словно это была городская скульптура, вроде роденовских поцелуйщиков. Мы свернули с освещенной улицы и присели на лавочку в маленьком скверике, окаймленном геометрически подстриженным кустарником. Кучки облетевшей листвы в темноте казались ямами.

— Понятно, — сказала Алла. — Ты завел меня сюда с гнусными намерениями...

— Разумеется, — отозвался я, изготавливаясь к поцелую.

— И тебе меня не жалко?

— Нисколько! — Я обнял ее за плечи и начал медленно клониться к светлевшему в темноте лицу.

— Не надо! — прошептала она.

— Надо! — отозвался я, помня школьную заповедь, что в таких случаях главное — не замолкать и говорить что-нибудь.

Поцелуй вышел неудачный. Я, кажется, обслюнявил в темноте Алле щеку, пока наконец не напал на ее губы. А когда она захотела оторваться от меня, я проявил неуклюжую настойчивость, в результате чего раздался совсем уж неприличный всчмок...

— Костя, да ты совсем не умеешь целоваться! — засмеялась Алла.

И мне показалось, что она тоже меня сравнивает, не знаю уж с кем — со своим бывшим мужем или нынешним Пековским. Я ощутил совершенно ребяческую, беспросветную до сладости обиду и встал. Назад мы возвращались молча.

Около автобуса, уставившись на часы, как судья на секундомер, караулил Друг Народов. Кажется, он был очень разочарован, что мы с Аллой пришли вовремя. Все были с покупками. В глаза бросался Гегемон Толя, одетый в новый белый аленделонистый плащ и галстук, выбранный для него Пипой Суринамской, которая в свою очередь нежно поглядывала на стоявшую у ее ног сумку, раздувшуюся, как свиноматка. Спецкор держал между колен аккуратно упакованные горные лыжи. Товарищ Буров был при коробке с телевизором, стоившим, по моим понятиям, тысячи полторы, а то и две. Поэт-метеорист, занявший у мадам Лану под премию пятнадцать франков, прикладывался к пузатенькой бутылочке...

Опоздал Торгонавт. Он был бледен, словно человек, из которого трехведерным шприцем вытянули всю кровь.

— Почему вы опоздали? — грозно спросил товарищ Буров.

Торгонавт поглядел на него умирающим взором и всхлипнул.

— Вы потеряли паспорт? — встревожился рукспецтургруппы.

— Нет... — помотал головой Торгонавт.

— А что случилось? — вмешался Друг Народов. — Была провокация?

— Не-ет... Я... купил себе пиджак за сто пятьдесят франков... А в другом магазине такой же стоил сто десять...

Эта душераздирающая информация вызвала единодушное чувство сострадания, и несчастный Торгонавт не был лишен советского гражданства.

16

Вечером, после ужина, провели планерку, посвященную итогам дня и предстоящему посещению пригородного района Парижа, где у власти — коммунисты. Поскольку после посещения муниципалитета, спичечной фабрики и лицея планировался товарищеский обед с участием активистов местного отделения ФКП, товарищ Буров предложил Поэта-метеориста с собой не брать...

— Жалко! — возразила Алла. — Все-таки последний день в Париже. Пусть пообещает, что не будет пить!

В ответ Поэт-метеорист обозвал нас всех помойными чайками, сказал, что в гробу видал этот ваш подпарижский райком партии и что если мы будем на него давить, то он выберет свободу, а нас всех за это по возвращении удавят. Затем он решительно потребовал взаймы у Гегемона Толи десять франков, тот, растерявшись от неожиданности, дал — и, обретя вновь гордую алкогольную автономию, Поэт-метеорист в сопровождении своей верной Пейзанки покинул штабной номер.

Когда всех отпустили, Друг Народов с видом подлого мультипликационного зайца сказал:

— А вот Гуманкова попрошу остаться!

Товарищ Буров неподвижно сидел в кресле, и на его лице застыло апокалиптическое выражение. Заместитель же ходил по номеру решительными шагами и высказывал от имени руководства спецтургруппы резкое неудовольствие по поводу моего безобразного и антиобщественного поведения:

— Постоянные нарушения дисциплины! Постоянные высказывания с душком!..

— С каким душком? — уточнил я.

— Не прикидывайтесь! И не берите пример с вашего соседа! Он журналист. А вы? Кто вы такой? И что вы себе позволяете?!

— А что я себе позволяю? — Пугливая предусмотрительность подсказывала, что чем дольше мне удастся прикидываться полудурком, тем лучше.

— Вы, кажется, женаты? — вступил в разговор товарищ Буров.

— Вы, кажется, тоже? — не удержался я.

— Прекратите хамить руководителю группы! — взвизгнул Друг Народов. — Мы обо всем сообщим в вашу организацию! Вы понимаете, чем все это для вас кончится?

— А у меня еще ничего и не начиналось...

— Подумайте о последствиях, Гуманков! — пригрозил замрукспецтургруппы. — Шутите с огнем!

— Не надо меня пугать! — взорвался я. — Что вы у меня отнимете? Компьютер? А кто тогда будет вашу икру считать?

— Какую икру?

— Красную и черную...

— Опять хамите! — Друг Народов топнул ногой и растерянно глянул на товарища Бурова.

— Не понимает! — медленно определил ситуацию рукспецтургруппы. — В Союзе мы ему объясним...

— Вы понимаете, что станете невыездным? — в отчаянии крикнул Друг Народов.

Как человек на девяносто процентов состоит

из воды, так моя ответная фраза примерно на столько же состояла из полновесного нецензурного оборота, необъяснимым образом извергнувшегося из глубин моей генетической памяти. Именно оттуда, ибо целого ряда корнесловий, особенно поразивших моих хулителей, я раньше и сам никогда не слыхал...

В коридоре меня терпеливо ожидал Диаматыч.

— Посовещались? — заискивающе спросил он.

— Вот именно. А вас я, кажется, предупреждал...

— Простите, я хотел только доложить, что вернулся своевременно...

— Хорошо. Что еще?

— Еще я бы советовал вам повнимательнее присмотреться к поэту. Мне кажется...

— Меры уже приняты! — резко ответил я и уставился ему в переносицу. — Что еще?

— Просьба! — ответил Диаматыч, вытягивая руки по швам.

— Говорите!

— Можно, я завтра еще раз с ними встречусь?

— Пользуетесь моим хорошим отношением?!.

— Последний раз! — взмолился он. — Поймите меня правильно!

— Ладно. О возвращении доложите!

Спецкор, выслушав мой рассказ о стычке с товарищем Буровым, сказал, чтобы я не обращал внимания на этого бурбона, так как ни один руководитель не заинтересован в привлечении внимания к поездке. Мало ли что может всплыть? Вдруг выяснится, что один из членов группы занимался незаконной продажей икры, принадлежащей не только ему, но и руководству? Или всплывут на поверхность некоторые подробности морального разложения и злоупотребления общественными финансовыми и алкогольными фондами? Так что все эти обещания: направить письмо на работу, сделать невыездным — страшилки для слабонервных. И вообще, если он, этот горкомовский пельмень, хоть что-нибудь вякнет, Спецкор такое напишет о нем, что строгач с занесением покажется товарищу Бурову самой большой его жизненной удачей! Потом мой великодушный сосед демонстрировал свои чудесные пластиковые лыжи, обещал как-нибудь взять меня в горы и сделать из меня же настоящего мужчину.

В заключение Спецкор заявил, что если бы ему предложили выбирать между горными лыжами и красивыми женщинами, то он, не колеблясь, выбрал бы лыжи, ибо два этих удовольствия даже нельзя сравнивать...

— А Мадлен? — спросил я.

— В том-то и дело, что она тоже горнолыжница! — помрачнел Спецкор.

В дверь постучали. Предполагая, что это бестолковый Диаматыч снова вышел на связь, я, как был — в семейных сатиновых трусах и синей дырявой майке, босиком побежал открывать. На пороге стояла Алла в длинном шелковом халате. Волосы ее не просохли еще после душа.

— Извини... — сказала она. — Знаешь, Машенька опять ушла с Поэтом...

— Наверное, она его любит, — предположил я, незаметно подтягивая трусы и закрывая пальцами дырку в майке.

— Наверное. Но они куда-то дели мой кипятильник, а я хотела выпить чаю...

— Нет проблем! — раздался голос Спецкора. Одетый в белоснежный адидасовский костюм, он стоял рядом со мной и держал в руках искомый кипятильник. — Но только учтите, Аллочка, французы больше боятся русских туристов с водонагревательными приборами, чем террористов с пластиковыми бомбами...

— Я буду осторожна, — пообещала Алла.

— Нет, вам нужен контроль специалиста! — заявил мой сосед. — Константин, тебе поручается...

— Я уже лег спать! — был мой ответ.

— Заодно и чаю попьешь! — настаивал Спецкор.

— Чай перед сном возбуждает! — уперся я рогом.

— Спокойной ночи! — сказала Алла.

Она уходила по коридору, а я стоял и смотрел, как под тонким шелком движется и живет ее тело.

— У тебя случайно в детстве не было сексульной травмы? — озабоченно спросил Спецкор.

— А что?

— Ничего. Бедная Алла! Можно подумать, что ты голубой. Но поскольку я лично проспал с тобой в одной постели целую неделю, приходится делать вывод, что ты просто пентюх!

Наверное, Спецкор прав... Я тихо лежал на своем краю нашей дурацкой общей кровати и думал о том, что очень похож на большую се-

192

деющую марионетку, которую дергает за ниточки оттуда, из прошлого, некий мальчишка с насмешливыми глазами и круглым обидчивым лицом. Ему было лет тринадцать, когда во время школьного вечера он влюбился в очень красивую девочку из параллельного класса. Как протекает эта нежная ребяческая дурь, общеизвестно: он страдал, старался лишний раз пройти мимо. ее класса, нарочно околачивался возле раздевалки, чтобы дождаться момента, когда она будет одеваться, и поприсутствовать при этом. Невинное детское томление — и ничего больше!

А рядом с его школой была товарная станция, откуда ребята таскали странные стеклянные шарики величиной с голубиное яйцо. Они были темно-янтарного цвета — совсем такого же, как глаза той замечательной девочки. И вот однажды, во время репетиции сводного хора, мальчишка взял и ляпнул, что ее глаза похожи... похожи... на эти самые таинственные шарики. «Принеси! — приказала она. — Я хочу видеть...»

Вечером, когда стемнело, он перелез через островерхий железный забор и, рискуя быть покусанным собаками, набил полный карман, а дома получил хорошую взбучку за разорванное пальто и ободранные ботинки. Но это было ерундой по сравнению с мечтой о том моменте, когда он протянет ей пригоршню этих самых непонятных шариков, назначение которых, быть может, и заключалось только в том, чтобы напоминать цвет ее глаз.

На следующий день она дежурила по классу, и он долго торчал возле раздевалки, прежде чем дождался ее появления. И дождался... С ней рядом вышагивал здоровенный старшеклассник, славившийся на переменах своей хулиганистостью, модной взрослой стрижкой и подростковыми желтоголовчатыми прыщами. Возле самых вешалок верзила вдруг схватил эту недостижимую принцессу за плечи и стал ее сноровисто целовать в губы, а она, по-киношному закрыв глаза и откинув голову, даже не сопротивлялась. Только левой рукой, свободной от портфеля, лихорадочно поправляла черный передничек.

Бедный мальчик представил себе слюнявый рот этого парня, его тяжелое табачное дыхание, его угристое лицо, приплюснутое к ее лицу, — и мальчику стало плохо, очень плохо. Нет, не в переносном смысле, а в самом прямом. Роняя из карманов темно-янтарные шарики цвета ее закрытых от удовольствия глаз, он бросился на улицу, на воздух, и — в школьном садике, возле яблони, его вывернуло...

А детские комплексы, как понял я впоследствии, обладают поистине стойкостью героев Бородина...

17

Мэр-коммунист оказался низеньким длинноносым смешливым человечком, он острил, рассказывал забавные истории, сам над ними хихикал и грустнел лишь в том случае, если речь заходила о международном рабочем движении. А когда во время торжественного обеда, накрытого в ресторане, рядом с местным отделением ФКП, основательно уже поднасосавшийся и впавший в застольную эйфорию товарищ Буров заметил, что раньше Советская власть была только в уездном городишке Иванове, а вот теперь — сами понимаете, в глазах веселого мэра мелькнул настоящий ужас. Утешился он лишь после того, как Друг Народов вручил ему огромную матрешку, внутри которой, вопреки ожидаемому, таилась бутылка русской водки.

Алла весь день была со мной равнодушно любезна, словно мы только что познакомились в очереди к зубному врачу. В отель возвращались уже по вечернему Парижу, и где-то за домами торчала Эйфелева башня.

Спецкор тихо слинял на решающее свидание с Мадлен. Я поднялся в номер и, наслаждаясь одиночеством, начал неторопливо разуваться. Мне было о чем поразмышлять, ибо именно сегодня я вдруг почувствовал, как в моем теле, подобно гриппозной ломоте, возникло странное тянущее ощущение, обычно именуемое ностальгией. Нет, мне еще не хотелось в Москву, я еще не насытился Парижем, но странные внутренние весы, на первой чаше которых лежит восторг первооткрывательства, а на второй — радость возвращения, дрогнули и пришли в движение. Вторая чаша становилась все тяжелее и все настойчивее тянула вниз...

Молоденький рыжий таракан, кажется, тот самый, вдруг выскочил из-за спинки кровати и со спринтерской скоростью помчался по стене. Ну вот — добегался! Прицеливаясь, я медленно поднял ботинок. Насекомое внезапно остановилось, наверное, чтобы хорошенько обдумать мое движение, не понимая, что этим самым обрекает себя на лютую казнь через размазывание по стене. Но провидению угодно было распорядиться иначе... Раздался громкий стук в дверь, и, не дожидаясь разрешения, в номер вошли нахмуренная Алла и зареванная Пейзанка.

— Вот! — сказала Алла, явно тяготясь необходимостью общаться со мной. — Мы к тебе...

— А что случилось?

— Его... его... за-за-бра-а-а-ли-иии... — борясь с рыданиями, объяснила Пейзанка.

— Кого?

— Кирю-ю-юшу-у...

— Кто?

— Какие-то мужики в плащах...

— Ты кому-нибудь говорила? — спросил я.

— Говорила, — объяснила Алла, с интересом вглядываясь в меня. — Говорила профессору. А он сказал, что Гуманков знает, что нужно делать, и куда-то ушел. Ну и что будем делать?

— Не знаю. Наверное, докладывать руководству... А что еще?

Позвали руководство, которое в целях достижения чувства полной завершенности досасывало очередную бутылку из общественных фондов. Властно, покачиваясь, товарищ Буров несколько секунд смотрел на Пейзанку с полным непониманием, потом икнул и кивнул Другу Народов.

— Что случилось? — гнусненько поинтересовался тот.

— Уше-ел! — с плачем ответила она.

— Поматросил и бросил! — осклабился замрукспецтургруппы.

— Он пропал! — вмешалась Алла.

— Ну и пропади он пропадом! — в сердцах крикнул Друг Народов. — Алкаш! Все мы пьющие, но не до такой же степени!

— Куда пропал? — шатнувшись, уточнил товарищ Буров.

— Неизвестно, — сообщил я. — Ушел с какими-то людьми... В плащах...

— То есть как в плащах? — В голосе товарища Бурова забрезжил смысл.

— А вот так — пришли и забрали!

— То есть как это забрали? — мучительно трезвея, возмутился рукспецтургруппы.

— А он сказал, когда вернется? — побледнел Друг Народов.

— Нет, он сказал, что в Париже за стихи деньги платят! — ответила Пейзанка.

— Мне это не нравится! — все более осмысленно глядя на происходящее, вымолвил товарищ Буров.

— Соскочил! — вдруг истерически засмеялся Друг Народов. — Точно соскочил! Всех надул!

— Спокойно. Без паники! — приказал товарищ Буров, и я понял, что в некоторых случаях руководящая туповатость — как раз то, что нужно.

— Звонить в посольство?! — чуть не плача, закричал Друг Народов.

— Если через два часа не вернется, будем звонить в посольство! — постановил товарищ Буров.

Около часа мы просидели в моем номере, вздрагивая от каждого скрипа и шороха. Однажды зазвонил телефон. Друг Народов бросился на него, как кот на мышь, крикнул в трубку жалобным голосом: «Алло, говорите, вас слушают!» Но говорить с ним не захотели. Наконец товарищ Буров не выдержал, сходил в штабной номер и принес бутылку «Белого аиста», которую я некогда сдал в общественный фонд. Выпили и закусили моими галетами.

— Ну кому он здесь нужен! — снова заголосил Друг Народов. — Языка не знает! Пьет! Тьфу!

— На себя лучше наплюй! — сварливо крикнула Пейзанка, только-только начавшая успокаиваться, прикорнув у Аллы на коленях.

Постепенно в моем номере собрались и все остальные. Торгонавт принес бутылку водки и хорошие консервы. Пипа Суринамская, одетая во все новое, велюроворазноцветное, выставила перцовку, копченую колбасу и балык. Гегемон Толя добавил банку солдатской тушенки, ровесницу первого семипалатинского испытания, и водку производства нижнетагильского комбината.

— Говорят, в ней железа много! — пошутил он.

Выпивали и закусывали грустно, как на поминках. Потом заговорили о безвременно соскочившем Поэте-метеористе: мол, неплохой человек был, хоть и пьющий.

— Он даже стихи нам ни разу не почитал! — вздохнула Алла.

— Может, это и к лучшему! — не согласился Торгонавт.

— Это ж какое здоровье надо иметь, чтоб так пить! — высказалась Пипа Суринамская. — Мой-то генерал так только до майоров хлебал.

Бывало, с замполитом натрескаются и на танке охотиться едут... Мясо в доме никогда не переводилось...

— О чем вы говорите! — взблеял Друг Народов. — Если б он знал язык... Был энергичным, предприимчивым...

И в этот самый миг, да-да, именно в этот самый миг дверь распахнулась и в номер вступил победительно ухмыляющийся Поэт-метеорист. В правой руке он держал роскошную, перевязанную алым бантом коробку с надписью «Пьер Карден», под мышкой — какую-то зеленую папку, вроде почетного адреса, а в левой руке висела авоська, набитая пакетами, похожими на наши молочные.

— А я думаю, куда это все подевались! — заявил вернувшийся.

— А вот мы сидим и думаем, куда это вы подевались! — съехидничал Друг Народов.

— Мне премию вручали...

— Какую премию? — подозрительно спросил товарищ Буров.

— Денежную! — исчерпывающе объяснил Поэт-метеорист, бросил на стол авоську с пакетами и полез в карман. — Вот, Толяныч, твой чирик, как договаривались, с премии...

Гегемон Толя внезапно получил назад деньги, которые, конечно, уже вычеркнул из своей жизни.

— А это, Машка, тебе... От Кардена и... от меня! — Поэт-метеорист протянул зардевшейся Пейзанке коробку.

— Сколько же это стоит? — в ужасе спросил Торгонавт.

— Почти пять штук! На всю премию... А на сдачу винища купил... В пакетах. Очень удобно — не бьется и посуду сдавать не нужно...

— Какая еще такая премия? — сурово повторил свой вопрос товарищ Буров.

— За стихи...

— За стихи? Не смешите людей! — подтявкнул Друг Народов.

Поэт-метеорист глянул на него тем особым презрительным взором, каковым обладают лишь долгосрочно пьющие люди, и, не говоря ни слова, раскрыл зеленую папку-адрес:

внутри оказался сдвоенный вкладыш из атласной бумаги, на которой золотом было оттиснуто (Алла перевела вслух):

— *«Господину Кириллу Сварщикову (СССР) присуждается поощрительная премия Международ-*

ного конкурса имени *Аполлинера* за лучшее *анималис-тическое четверостишие.*

Генеральный президент
Всефранцузского общества защиты животных»
Подпись. Печать.

А рядом, тоже золотом по атласной бумаге, были напечатаны два четверостишия, точнее, оригинал и французский перевод премированного четверостишия:

> Мы с тобою — городские чайки,
> Мы давно забыли запах моря,
> Мы всю жизнь летаем над помойкой
> И кричим с тоской: «Мы — чайки, чайки...»

— Поздравляю! — веско произнес товарищ Буров и осуществил поощрительное рукопожатие.

— Это ж сколько за строчку получается?! — восхитился Торгонавт.

— Добытчик! — с этими словами Пипа Суринамская обняла и расцеловала Поэта-метеориста.

— Ладно уж... — смущенно отстранился

он. — Как сказал поэт Уитмен, чем болтать, давайте выпьем!

В пакетах оказалось красное сухое вино, и если бы там было молоко, его бы хватило минимум на неделю, а вино выхлестали за какие-нибудь полчаса. Туда же последовало и все остальное. Поколебавшись, Торгонавт притащил бутылку лимонной водки, припасенную, видимо, на черный день, и когда он откручивал пробку, я заметил, что на его безымянном пальце вместо Медного всадника нанизан аляповатый перстенек из дешевого желтого металла.

— Поэма Рылеева «Наливайко»! — приказал Поэт-лауреат.

Затем пьяная щедрость овладела и Другом Народов: он выставил бутылку виски, прикупленную для подарка кому-то в Москве, а я, чтобы не отстать, — банку икры, которую так и не смог продать, несмотря на приказ супруги моей практической Веры Геннадиевны.

— В следующий раз берите икру только в стеклянных банках! — посоветовал Торгонавт. — В железных, как у вас, покупать боятся... Бывали случаи, когда наши впаривали кильку с зернистой этикеточкой!

205

Потом пели:

> Хас-Булат удалой,
> Бедна сакля твоя...
> Золотою казной
> Я осыплю тебя...
> Дам коня, дам кинжал,
> Дам винтовку свою,
> А за это за все
> Ты отдай мне жену...

Начали дружно, хором, но постепенно те, кто забыл или не знал дальше слова, замолкали. Я сошел с дистанции где-то в середине, когда начал проясняться вопрос о том, что молодая жена Хас-Булата состоит в нежных отношениях с князем, пытающимся выторговать ее у мужа. До конца смогли допеть лишь Пипа Суринамская и Гегемон Толя. Честно говоря, я понятия не имел, что все закончится так скверно, мне почему-то всегда казалось, что они договорятся. В общем, Хас-Булат убил свою неверную жену — «спит с кинжалом в груди», а князь снес Хас-Булату саблей голову — «голова старика покатилась на луг...».

Появился Спецкор, сообщил, что наше хоровое пение разносится далеко по ночному Парижу, и выставил свою бутылку зеленогрудой, уже начинавшей исчезать из продажи «андроповки».

— «Прощай, мой табор, пью в последний раз!» — провозгласил Поэт-метеорист, закусил и рассказал, как у них в Союзе писателей направляли поздравительную телеграмму автору этой знаменитой песни, но на почте ошиблись и вместо «пою» отстукали «пью». Старикан страшно обиделся, так как увидел в этом намек на беззаветную любовь к алкоголю, которую он пронес через всю свою долгую жизнь.

Ко мне подсел пьянехонький Торгонавт и с доверительной слезой, совсем по-рыгалетовски, поведал свою печальную историю мальчика из творческой семьи, насмотревшегося на мытарства родителей-вхутемасовцев и выбравшего себе профессию понадежнее. Нет, сначала он хотел стать инженером — тогда это еще ценилось, но отец подхалтуривал — красил праздничное оформление для большого универмага — и всегда брал с собой сына, подкормиться. Было это после войны, а бездетная директриса магазина всегда угощала или конфетами, или эклером.

— И знаешь, что самое интересное? — тряс меня за плечо полуплачущий Торгонавт. —

Я ведь ни о чем не жалею, хотя мои акварельки хвалил сам Фальк... Он дружил с папой...

Потом хором уговаривали Пейзанку примерить платье от Кардена. Она отнекивалась, объясняла, что ей жалко портить ленту, завязанную изумительной розочкой, но товарищ Буров заявил, что изготовление розочек из ленточек — его прямая обязанность, после чего Пейзанка смирилась и ушла переодеваться. Ни с того ни с сего хватились Диаматыча, и я уже было собирался что-нибудь наврать, но Друг Народов предположил, что профессор, по всей вероятности, выбрал свободу и попросил у французов политическое убежище. Все просто повалились от хохота! Вернулась Пейзанка. Платье было умопомрачительное, элегантно-легкомысленное, с той изящной небрежинкой, которая, наверное, и стоит таких денег.

— Горько! — завопила Пипа Суринамская и, не удовлетворившись кратковременным поцелуйчиком смущенной Пейзанки и ослабшего Поэта-лауреата, сгребла Гегемона Толю и показала, как на своей свадьбе она целовалась с генералом Суринамским, тогда еще лейтенантиком.

Дальше — нашли по телевизору парад клипов и начали танцевать. Естественно, товарищ Буров заграбастал Аллу и в процессе музыкального топтания посреди номера все крепче и крепче прижимал ее к себе — она даже уперлась кулачком ему в грудь. Он что-то шептал Алле в лицо, и мне казалось, я чувствую его разгоряченное, пьяное дыхание.

— Давай набьем Бурову морду! — присев рядом со мной, предложил Спецкор. — Ишь, бурбонище! Терпеть не могу, когда пристают к чужим женщинам. А ты чего скуксился — борись!

— Не умею...

— Вот-вот! Ты обращал внимание, что у роскошных баб — мужья обычно жлобы жлобами. А почему? А потому что, когда нормальный парень видит классную девочку, что он испытывает?

— Что? — спросил я.

— Он испытывает не-ре-ши-тель-ность! А вдруг я не в ее вкусе? А вдруг она не то подумает?.. А вдруг за ней ухаживает кто-нибудь в кожаном пальто, а на мне папин габардин? Точно?

— Точно! — поразился я верности его наблюдений.

— А какой-нибудь хмырь с немытой шеей, даже не посмотрев на себя в зеркало, подвалит — и цап мертвой хваткой...

— Ты поссорился с Мадлен?

— Нет. Оказалось, что она замужем...

Аллу от товарища Бурова освободила Пипа Суринамская: обняв рукспецтургруппы, она показывала, как нужно танцевать классическое танго, а попутно рассказывала, что генерал, будучи еще курсантом и завоевывая сердце своей будущей жены, гусарил и даже пил шампанское из ее туфельки.

— Шампанское на все столики! — сорвав телефонную трубку, крикнул Поэт-метеорист. — Гарсон! Ин циммер!

Клипы в телевизоре становились все круче и круче. Один изображал скандал в дорогом борделе. Мы сгрудились вокруг экрана и разнузданными криками приветствовали смертельно-сексапильную мулатку, которая, подпрыгивая на батуте, закамуфлированном под кровать, творила в полете стриптиз. Первой заметила стоящего в дверях элегантного официанта Алла, она улыбнулась ему, что-то сказала и стала искать глазами Поэта-метеориста, но он уже выпал из нашего праздника и спал, сжимая в руке стоптанный Пейзанкин туфель. Проследив взгляды Аллы, официант тонко улыбнулся, потом, шевельнув бровью, оценил наш стол с объедками колбасы, кусками хлеба, выскобленными жестянками, опрокинутыми бутылками и пакетами из-под вина, снова улыбнулся и спросил что-то.

— Кто-нибудь заказывал шампанское или это ошибка? — перевела Алла.

— Скажите ему, у нас возникли определенные организационные трудности! — заплетающимся языком распорядился товарищ Буров.

— Я ему завтра подарю матрешку! — пьяно пообещал Друг Народов. — Завтра будет все!

Официант терпеливо ждал, рассматривая пятна вина и обломки галет на паласе. Возникла неловкая пауза.

— Я заказывал!

Алла посмотрела на меня с удивлением и перевела. Гарсон что-то уточнил.

— Сколько? Одну, две... — разъяснила она.

— Две! — самоотверженно потребовал я. Алла снова перевела, и официант снова уточнил:

— Какой сорт предпочитаете?

— «Вдова Клико»! — не задумываясь, выбрал я, потому что о других сортах не имел ни малейшего представления, а про этот читал в каком-то французском детективе.

Алла перевела. Официант уважительно приподнял брови, поклонился и вышел.

— Безумству храбрых поем мы песню! — крикнул Спецкор и хлопнул меня по плечу, а я тем временем прикидывал, что, пожалуй, нашел лучшее применение моим сэкономленным пятидесяти франкам. В конце-то концов! Тварь я дрожащая или право имею?!

Официант вернулся через несколько минут. В одной руке он держал серебряное ведерко, из которого торчали два серебряных бутылочных горлышка, похожих на любовников, купающихся в ванне, а в другой руке, между пальцами, — восемь бокалов с длинными и тонкими, как у одуванчиков, ножками-стебельками. Он расставил все это на краешке нашего засвиняченного стола, обернул бутылку белоснежной салфеткой, осторожно хлопнул пробкой и принялся плавно разливать шампанское по бокалам. Делал он это без особой бдительности, улыбаясь нам, но ни разу пена не переползла через края, а когда она с шипением опала, выяснилось, что в каждом бокале аптекарски равное количество шампанского.

— Снайпер! — изумился Гегемон Толя. — Махани с нами! А?

Но официант, наверное, по жестам поняв, о чем идет речь, только покачал головой и, поклонившись, вышел из номера.

— Ну вот, товарищи... — трудно молвил наш руководитель. — Что хотелось бы сказать... Хороша страна Франция, но только за рубежами по-настоящему понимаешь, как дорога тебе Родина...

— За Родину! — подхватил Друг Народов.

— Обожди... — поморщился товарищ Буров и потерял ход мысли. — Что хотелось бы сказать...

— Так за что пьем? — пожал плечами Спецкор.

— Какая разница! — воскликнул Торгонавт. — Я всем оставлю мой телефон. Если нужны будут перчатки, кошельки, сумки — звоните, не стесняйтесь...

— Давайте за мужиков! — предложила Пипа Суринамская. — За наших защитников!

— Как сказал поэт Уитмен... — Это снова был Поэт-метеорист, запах спиртного действовал на него, как заклинания на зомби. — Чем болтать, давайте...

— Выпьем! — закричали все хором. «Вдова Клико» показалась мне кисловатой.

Вторую бутылку, приговаривая: «Ну, я его, гниду, урою!», взялся открывать Гегемон Толя. Он долго возился с пробкой, и дело закончилось пенной, как из огнетушителя, струей. Каким-то чудом струя прошипела в сантиметре от Пейзанки, так и не снявшей своего нового платья, и точнехонько ударила в Аллу.

— У-у, косорукий! — ругнулась Пипа Суринамская и шлепнула сконфуженного Гегемона Толю по затылку.

— Срочно нужно присыпать солью! — посоветовал Торгонавт.

Алла со смехом вскочила — ее белая кружевная блузка прямо на глазах становилась прозрачной. И, прикрыв свою проявляющуюся, как на фотобумаге, наготу (сначала проклюнулись два черешневых пятнышка), Алла выбежала из номера.

— Дианы грудь, ланиты Флоры! — крикнул ей вдогонку Поэт-метеорист.

Несколько минут все смеялись, охали, обсуждали происшествие, а Пипа Суринамская рассказала, как однажды во время гарнизонного спортивного праздника она играла в волейбол и у нее отскочила пуговица лифчика... Что тут началось! Кошмар! Начсанчасти приказал на ужин всему личному составу дать двойную порцию брома! А товарищ Буров, уверенный, что на него никто не обращает внимания, вытер носовым платком лоб и шею, поправил галстук и, помотав головой, то ли приводя себя в чувство, то ли отгоняя сомнения, встал и двинулся к двери.

— Иди! — приказал мне шепотом Спецкор. — Я его задержу!

— Давай набьем ему морду! — предложил я, ощутив готовность к активным действиям.

— Иди, тебе сказали! Это твой последний шанс, лопух!

В коридоре с разбегу я наскочил на обвешанного коробками и свертками Диаматыча.

— Простите за опоздание! — отрапортовал он.

— Прощаю! — крикнул я на ходу.

Дверь в номер Аллы была чуть приоткрыта...

18

Проснулся я от странного звука: словно кто-то рвал бумагу. Открыл глаза — в номере никого не было. Спецкор отсутствовал, но на столе, посреди мусора, оставшегося от вчерашнего веселья, лежал сверток с дубленкой, купленной для Аллы. Впрочем, нет, он не лежал, а покачивался и пульсировал, будто внутри сидел огромный цыпленок, старающийся выбраться наружу из огромного, перетянутого шпагатом бумажного яйца. Обертка в нескольких местах уже лопнула, и с громким треском (он-то и разбудил меня) появлялись все новые надрывы. Вдруг веревки окончательно разорвались, листы бумаги опали — и дубленка, свернутая в замысловатый замшевый эмбрион, медленно начала расправляться, а потом так же медленно поползла в мою сторону, не задевая почему-то бутылки и бокалы, загромождавшие стол.

«Боже, какой дурацкий сон!» — подумал я, перевернулся на другой бок и накрылся одеялом с головой: сразу стало тепло и спокойно.

Но я рано обрадовался — одеяло было содрано, и дубленка медленно навалилась на меня своим душным меховым нутром. То, что я принимал за толстые складки, оказалось тугими страшными мускулами, а мягкие, пушистые манжеты из ламы вдруг сжали мое горло с удушающей силой, словно это были тиски, на которые зачем-то надели пахнущие нафталином меховые чехлы. И я понял тогда, что вся моя глупая жизнь — прошлая, настоящая и будущая — не стоит одного-единственного свободного глотка воздуха. Манжеты немного ослабили нажим, видимо, чтобы удобнее перехватить мое горло.

— А-а... — захрипел я.

И тут из нежного меха, как из кошачьей лапы, выдвинулись и впились в мое горло острые холодные когти, я даже ощутил, как они сомкнулись там, внутри моей гортани, — сомкнулись с хрустом...

«Боже, какой дурацкий сон!» — подумал я,

очнувшись. В горле першило — шампанское вчера было холодное. Глаза резало от похмельного непросыпа, а в том месте, где у непьющих находится желчный пузырь, у меня сидел тупой деревянный гвоздь. Во рту была гадкая скрежещущая сухость. Но тело, тело мое переполнялось томительно-счастливой ломотой.

Проснулся я в номере Аллы. Сама она лежала на соседней кровати, и в промежутке между подушкой и одеялом виднелись ее золотистые пряди, наверное, все-таки подкрашенные, потому что у корней волосы были темные. Выходило, что сам я расположился в Пейзанкиной койке, и действительно, от наволочки доносился запах ее незатейливых духов типа «Быть может...». Меня чуть замутило...

В окне светлело утро, и, судя по неуловимым солнечным приметам, не такое уж раннее. Я пошарил на полу рядом с кроватью: почему-то запомнилось, что часы были последним из всего, что я сорвал с себя вчера вечером. На циферблате значилось: 9.18...

— Дубленка! — похолодел я и понял вещий смысл страшного сна.

Зубная паста показалась мне унизительно-мятной, а вода — ядовито-мокрой. От рубашки несло кислым табачищем, а пиджак и брюки (одевался я почему-то именно в таком порядке) пестрели пятнами и подтеками. «Погуляли!» — думал я, причесываясь перед зеркалом и разглядывая бледнолицее, воспаленноглазое существо, лишь отдаленно напоминающее программиста ВЦ «Алгоритм» Константина Гуманкова. Горько разочарованный в своей наружности, я тихо, чтобы не разбудить Аллу, направился к двери.

— Костя, подожди!

Я оглянулся: она сидела в кровати, трогательно придерживая одеяло у груди. И хотя, конечно, послепраздничное утро не украшало ее, я тем не менее, вместо обычного постфактумного унылого раздражения, почувствовал радость и нежность.

— Подожди! — повторила она, по-детски кулачками протирая глаза. — Я с тобой! Я сейчас встану...

— Не нужно, спи! — ответил я, хотя мне томительно хотелось увидеть, как она поднимется и встанет передо мной, потому что ночью, обладая ее наготой, я так и не увидел этой наготы.

— Не нужно... — повторил я.

— Хорошо, — сказала она. — Только не перепутай: станция Каде...

— Не перепутаю...

— Возвращайся скорее...

— Да!

— Ты еще не разучился? — улыбнулась она, имея, конечно, в виду то, как вчера, смеясь и дурачась, учила меня целоваться, а потом вдруг заплакала...

— Нет...

— Тебе было хорошо?

— Да...

Да, мне было хорошо, очень хорошо, хорошо, как никогда раньше, и по коридору я шел, словно окутанный нежным коконом из ее запаха, слов, поцелуев, вздохов, движений, прикосновений, недомолвок... Я даже не шел, а парил внутри этого, сводящего с ума кокона.

На коврике, возле номера Пипы Суринамской, дремал Гегемон Толя. Развязанный галстук лежал рядом с ним, как ручная кобра.

— Сколько времени? — спросил он, открывая глаза на мои шаги.

— Время детское, — посоветовал я. — Спи!

— Да вроде выспался...

— Не пустила? — посочувствовал я.

— Не-е...

— Чем мотивировала?

— Сказала, по калибру не подхожу, — не очень огорченно признался Гегемон Толя.

Мой легкий невидимый кокон, легко прыгая со ступеньки на ступеньку, влек меня вниз, в холл и дальше — к стеклянным дверям.

— Мсье Хуманкофф!

Я заставил мой кокон-самолет сделать изящный вираж и увидел, как улыбчивый клерк, выйдя из-за конторки, протягивает мне листочек бумаги с какими-то отпечатанными принтером цифрами. Моего троглодитского знания иностранных языков все-таки хватило, чтобы понять: в руках у меня счет за вчерашнее шампанское. А колонка цифр, как подсказал мне мой задрожавший внутренний голос, складывается из непосредственной стоимости «Вдовы Клико», услуг вызванного в номер элегантного официанта, ночной наценки и так далее. Я знал вчера, на что шел, и был готов ко всему, кроме итоговой суммы — 298 франков... Мой сладостный кокон внезапно растаял, словно произошла разгерметизация скафандра, и я оцепенел в ледяном космосе безжалостной действительности. А клерк смотрел на меня с таким доверчивым добродушием, что я молча вынул мои три заветных «делакруа» и протянул их по возможности небрежно. Клерк поблагодарил, вернулся за конторку, прострекотал на компьютере и отдал мне сдачу — две никелированные монетки с женской фигуркой, разбрасывающей цветы свободы... «Свобода приходит нагая...»

Медленно шагая по улице, я думал о том, что, если мстительная супруга моя Вера Геннадиевна узнает, как пошло пропил я ее дубленку, она просто медленно сживет меня со свету, но даже если она не узнает этого, то все равно возвращение с пустыми руками повлечет за собой длительную полосу внутрисемейного террора. Ну и пусть! Уйду в подполье, почаще и подольше буду стоять в «Рыгалето», в крайнем случае поживу у кого-нибудь из холостых сослуживцев. Или уйду совсем! Нет, серьезно, — уйду, и все!

— Свобода приходит нагая, — сказал я довольно громко.

Француз, аккуратной шваброчкой мывший тротуар возле своего магазинчика, посмотрел на меня с удивлением. «А почему, собственно, свобода — это женщина, разбрасывающая цветы? Свобода — это мужчина со шваброй в руке!» — подумал я и почувствовал, как вокруг меня снова начинает сгущаться мой нежный кокон.

В супермаркете, том самом, куда нас возили в первый день, было малолюдно. Я решительно приблизился к прилавку с бижутерией и, ткнув пальцем в заколку-махаон, сказал продавщице только одно слово:

— Это!

19

Когда я воротился в отель, все уже знали о постигшем меня финансовом крушении.

— Мужики, надо сброситься! — призвал Гегемон Толя и отдал мне десять франков, полученные вчера от Поэта-метеориста (на них я в баре купил жевательную резинку для Вики).

Но денег больше ни у кого не было, если не считать горстки сантимов, оставшихся у товарища Бурова в общественно-представительской кассе.

— Возьми с собой пустые бутылки из-под «Клико», — посоветовал Спецкор. — Предъявишь жене в качестве финансового отчета о проделанной работе!

— Пошёл ты... — поблагодарил я его за мудрый совет.

Приполз виноватый Поэт-метеорист — любитель шампанского.

— Прости, Костик! — взмолился он. — Хочешь, я тебе Машкину карденятину отдам?

— Не хочу.

— Тогда поправься! — предложил он и вынул из кармана куртки стакан для полоскания зубов, почти до краев наполненный красным вином.

Следом вломилась Пипа Суринамская, она принесла мне две пары женских трусиков:

— Жене отдашь! Скажешь, купил!

— Спасибо, но...

— Не бойся, они безразмерные...

Торгонавт подарил мне пару новых кожаных перчаток чешского производства и убеждал при этом, будто их тоже можно при желании выдать за купленные в Париже, мол, импорт! Друг Народов вручил мне большой фотоальбом «Париж-84», который ему, оказывается, подарили в коммунистической мэрии.

— Мне-то ни к чему, — пояснил замрук-спецтургруппы.

Заглянул с соболезнованиями Диаматыч, но в глазах его светились восхищение моими конспиративными способностями и уверенность, что валюту я выложил, разумеется, казенную.

...От наших вещей, сваленных посреди холла, веяло чем-то таборно-эвакуационным. Кстати, неожиданно по объему багажа Пипа Суринамская была оттеснена на второе место, а первое занял Торгонавт, все таскавший и таскавший из своего номера бесчисленные сумки и коробки. Попрощались с мадам Лану, подарив ей на память какую-то цыганскую — всю в розах — шаль и плюшевого медвежонка.

Когда автобус уже вез нас в аэропорт, Алла сжала мою руку и тихо сказала:

— Костя, это очень плохо! — А может быть, наоборот, — хорошо? — пожал плечами я.

В аэропорту было все так же, как в день нашего прилета: разноцветные, разноязыкие люди, тележки, груженные чемоданами и яркими дорожными сумками, стройные и плавные стюардессы, уверенно шагающие сквозь толпу суетящегося перелетного люда. Мы зарегистрировали билеты, и наш багаж канул в чрево аэропорта. Друг Народов пересчитал делегацию по головам, доложил еще не оправившемуся после вчерашнего товарищу Бурову, и тот строго, но с трудом приказал:

— Никуда не отлучаться. Скоро пойдем на паспортный контроль!

— А в сортир? — возмутился Поэт-метеорист.

— Побереги для Советской власти! — посоветовал я.

— Никаких прав человека! — заругался Поэт-метеорист так громко, что на него стали обо-
рачиваться.

— Давай я с ним схожу, — предложил Друг
Народов. — А то опозорит всю группу прямо
здесь...

— Ладно, — смилостивился товарищ Буров.
Мы ждали. Мимо неторопливо и самоуверенно
прошли два полицейских с короткими двуручными
автоматами. Потом девушка в темно-синей форме
прокатила мимо нас инвалидную коляску с пожилой женщиной, евшей мороженое. Какой-то мужичок, судя по шляпе и плащу наш соотечествен-
ник, протащил коробку с видеомагнитофоном,
и вся группа, кроме товарища Бурова, одновременно завистливо вздохнула. Вернулся Поэт-метеорист. На его лице было написано такое счастье,
какого не может дать удовлетворение даже самой
настоятельной физиологической потребности.

— Хлебнул-таки! — догадалась Пейзанка.

— А то!

— А где конвойный? — спросил Спецкор.

— Пропил! — засмеялся Поэт-лауреат.

— А серьезно?

— Не знаю... Он сказал, что у него большие планы, и заперся в кабинке.

— Нашел время... — пробурчал товарищ Буров.

На огромном электронном табло напротив номера нашего рейса запрыгали два зеленых огонька. Затем слово «Москва» я разобрал в гулкой тарабарщине радиодиктора, объявлявшего о посадке в самолеты.

— Пошли на паспортный контроль! — распорядился товарищ Буров.

— А этот? — спросил Спецкор.

— Куда он денется?

Пограничник заглянул в мой молоткастый и серпастый, поставил штамп и сказал: «Привет!» Постепенно вся группа прошла контроль и столпилась в ожидании товарища Бурова и Спецкора, которые не торопились покидать зарубежье.

— А может быть, все-таки заблудился? — жалобно предполагал совершенно скисший рукспецтургруппы.

— Вряд ли... — с необычной серьезностью отвечал Спецкор. — Опытная тварь...

— Но почему? Он же мог и раньше?

— В половине случаев уходят именно в последний момент... Психология... И расчет: труднее задержать...

— Вот сука! — налился кровью товарищ Буров.

— Лучше подумайте, как по начальству докладывать будем! Если тихо ушел — хрен с ним, а если начнет, сволочь, заявления делать?

— Но ведь проверяли же! И у вас тоже проверяли!..

— Совершенно точно можно проверить на триппер, а на это совершенно точно не проверишь! Ладно, я остаюсь; может, еще удастся что-нибудь сделать...

Поймав на себе мой изумленный взгляд, Спецкор пожал плечами, что, видимо, означало: «Вот такие, сосед, у нас с тобой дела!» Из-за отсутствия двух зарегистрированных пассажиров наш рейс задержали, и сквозь иллюминатор я видел, как на тележке повезли клетчатый чемодан Друга Народов, большую спортивную сумку и лыжи Спецкора.

Когда мы наконец взлетели и погасло табло «Пристегните ремни», я достал бумажный пакетик с заколкой и протянул Алле.

— Зачем? — спросила она.

— Знаешь, в племени чу-му-мри засушенных махаонов дарят, когда признаются в любви и предлагают поселиться в одном бунгало...

— Ты смеешься?

— Нет, я серьезно...

— Ты смеешься: нет такого племени — чу-му-мри...

— Есть. Я покажу энциклопедию...

— Ладно, — кивнула Алла. — Допустим, есть... Допустим, мы будем жить в одном бунгало... Как ты себе это представляешь?

— Очень просто. Я буду охотиться на львов. Твой сын будет мне помогать, и мы подружимся. Я заработаю кучу ракушек с дырками — это у них деньги такие. Куплю тебе платье из павлиньих перьев. Потом родится девочка, такая же красивая и нежная, как ты... Мы будем качать ее в люльке, вырезанной из панциря гигантской черепахи...

— А жираф будет бродить возле озера? — улыбнулась Алла.

— Будет!

— Изысканный?

— Изощренный!

— Костя, ты прелесть! А если к нам в бунгало придет обиженный сильный человек и захочет увести меня с собой?

— По закону племени чу-му-мри я проткну его отравленным дротиком.

— А если придет плачущая женщина с девочкой, очень похожей на тебя?

— Плачущая?

— Да, плачущая женщина!

— Я постараюсь им все объяснить... По крайней мере девочке, похожей на меня...

— Это трудно!

— Не трудней, чем охотиться на львов...

— Труднее! — тихо сказала Алла и закрыла глаза. — Хочу спать...

Я выглянул в иллюминатор: внизу расстилалась облачная равнина, похожая на снежное поле. Казалось, вот-вот появится цепочка лыжников. И она появилась — три черные точки, двигавшиеся одна за другой...

— Истребители! Во-он! Смотрите! — радостно закричала Пейзанка. — Значит, он не врал!

— Такие люди не врут! — громко отметился Диаматыч и мигнул мне, давая понять, что я поступил совершенно правильно, оставив своего подчиненного для розыска соскочившего Друга Народов.

231

...Первое, что я увидел, выйдя из самолета, — дежурная улыбка аэрофлотовской девицы и настороженный взгляд прапорщика с рацией. Потом мальчишка-пограничник в будочке долго изучал мой паспорт, внимательно вглядывался в мое лицо и несколько раз спрашивал меня, откуда я прилетел. Это такая у них инструкция, если вместо коренного советского гражданина спецслужбы попытаются втюхать шпиона, говорящего по-русски с чудовищным акцентом. Но все обошлось благополучно — и на Родину меня пустили...

Потом мы терпеливо ждали, когда появится наш багаж. И это наконец случилось. У Пипиного чемодана-динозавра отломился замок, и наружу вылезла разноцветная тряпочная требуха. Гегемон Толя вздохнул и взвалил лопнувшее чудовище на себя... Я взял два чемодана — свой и Аллы. Она шла рядом и несла сверток с дубленкой.

Таможенный досмотр прошли беспрепятственно все, кроме Торгонавта, катившего впереди себя перегруженную до неприличия тележку... Поддельный перстень был разгадан, и нашего спутника под белы рученьки увели для составления протокола. Он горячился, объяснял, что обменялся с одним крупным французским политическим деятелем, участником Сопротивления, исключительно в целях укрепления дружбы между народами, но все было напрасно...

— Кто руководитель группы? — строго спросил таможенник.

— Я... — неуверенно ответил товарищ Буров.

— Безобразие!

В Шереметьевском аэропорту специализированную туристическую группу встречали... К товарищу Бурову подошел некто в номенклатурном финском пальто и, холодно поприветствовав, увел нашего убитого горем руководителя к поджидавшей черной «волге». У самой двери, словно уводимый на казнь, он оглянулся, как бы желая крикнуть: «Люди, я любил вас! Будьте бдительны за границей!»

Пипу Суринамскую ожидал генерал в сопровождении все тех же — адъютанта и шофера. И по тому, с каким курсантским нетерпением он оглядывал всю свою вернувшуюся боевую подругу, я вдруг понял: они, что там ни говори, счастливая пара...

— Ну, как ты тут без меня? — нежно спросила Пипа.

— Как штык! — ответил генерал.

Они уехали, увозя с собой чемодан-динозавр и сроднившегося с ним Гегемона Толю. Диаматыч в ожидании дальнейших инструкций шел со мной рядом до тех пор, пока я не шепнул ему, что временно он нам не нужен, его задача — натурализоваться и ждать связного.

Аллу поджидал Пековский с клумбоподобным букетом белых роз. Рядом с ним стоял остролицый щуплый мальчик, который, едва завидев Аллу, бросился ей на шею с криком «мама!».

Пековский внимательно оглядел нас и все понял. Он церемонно поцеловал Аллу в щеку, дружески хлопнул меня по плечу и безжалостно выдавил из моей руки ее чемодан.

— Разуй глаза! — жестко улыбнулся он.

Невдалеке, теребя в руках сумочку, стояла соскучившаяся супруга моя Вера Геннадиевна. За дни разлуки она довольно удачно высветлила и остригла волосы. Но особенно удивил меня ее взгляд, полный трепетного ожидания и счастливой надежды. Взгляд этот завороженно метался в магическом треугольнике, вершинами которого были:

а) я с чемоданом,

в) Псковский с мальчиком,

с) Алла со свертком.

— А Константин Григорьевич меня опекал! — вдруг голосом капризной девочки сообщила Алла. — Он настоящий товарищ!

— Это я понял! — кивнул Пековский и одарил меня таким выражением лица, которое означало: теперь он не придет даже на мои похороны.

— А какую замечательную дубленку Костя купил жене! — продолжала Алла все тем же кукольным голосом. — Костя, не забудьте дубленку!

Пековский взял сверток и нацепил его на пуговицу моего плаща. Взгляд Веры Геннадиевны внезапно остановился и зафиксировался на свертке.

— Я помогала выбирать! — с глупой гордостью объявила Алла. — Я тоже хотела купить...

— Ну и купила бы! — сказал Пековский.

— Да ну! Я все деньги на шампанское потратила!..

— Вот и умница! — засмеялся Пековский и обнял Аллу.

Мальчик смотрел на них с недетским удовлетворением, точно до последней минуты боялся, что мама оттолкнет этого сильного белого человека, с которым он подружился и который учит его охотиться на львов...

20

Вот, собственно, и все, что я хотел рассказать о Париже и моей парижской любви... С тех пор прошло несколько лет. Началось, идет и, видимо, уже никогда не кончится то, что мы самонадеянно именуем Перестройкой. Конечно, специально я не интересовался дальнейшими судьбами членов нашей спецтургруппы, но так или иначе хоть что-нибудь знаю про каждого...

Во время последнего военного парада генерал Суринамский стоял на мавзолее, из чего я сделал вывод, что у них с Пипой все хорошо и даже отлично.

Забавная, но в духе времени история приключилась с Гегемоном Толей: он все-таки урыл того, кого собирался. Им оказался председатель завкома, часто выезжавший за границу, а по возвращении стращавший рабочий класс ужасами Дикого Запада. Толя зашел к нему в кабинет якобы по личному вопросу и молча дал в глаз. Разумеется, Гегемона строго наказали, сняли с Доски почета, чуть не засудили, а немного позже, когда начались забастовки, Толю, как борца с режимом, избрали председателем стачечного комитета, еще кем-то и еще кем-то... Короче, теперь на Урале он большой человек, вроде Валенсы в Польше...

Поэт-метеорист и Пейзанка, поженившись, уехали жить в колхозную местность, где Сварщикову пришлось серьезно поработать над собой, чтобы не ударить лицом в грязь перед Машенькиной родней — отцом, старшим братом и крестным. Недавно я услышал, что Поэт-метеорист стал последователем Уолта Уитмена в смысле сочетания творческого и фермерского труда.

Торгонавт выпутался-таки из истории с перстнем, хотя ему пришлось одеть в новые перчатки всю шереметьевскую таможню. Говорят, сейчас он председатель кооператива, продающего за рубеж молодой московский авангард.

Друг Народов, как и боялись, вскоре после своего исчезновения объявился на радио «Свобода» и выступил с жуткими разоблачениями. Конечно, все, о чем он рассказывал, мы отлично знали и сами, но услышать это из-за бугра да еще от знакомого человека было приятно. А недавно уже в качестве заезжего фирмача он выступал по нашему телевидению и небрежно советовал нам, как выкарабкаться из кризиса. За годы, проведенные в бегах, он посолиднел, явно себя зауважал и вставил ровные белые зубы.

Спецкора я однажды встретил на улице, он сделал вид, что абсолютно не знает меня и никогда не спал со мной в одной кровати. Но я не обиделся: такая у него работа.

А вот о Диаматыче я слышу постоянно: он теперь знаменитый публицист и депутат. В своей нашумевшей статье «Сумерки вождей» он, между прочим, утверждает, что если бы в застенках НКВД все твердо говорили «нет», то сталинизм рухнул бы сам собой... Интересно, ждет он моего связного или уже перестал?

Товарища Бурова за всю эту историю поперли с партийной работы. Он страшно переживал, запил, разошелся с женой и даже однажды забрел к нам в «Рыгалето». Мы с ним выпили пивка с водочкой, вспомнили Париж, наше соперничество из-за Аллы, погоревали над его загубленной карьерой... Но жизнь непредсказуема: недавно товарища Бурова признали жертвой застоя, честным аппаратчиком, пострадавшим от партократии, и назначили на хорошую должность в Моссовет.

Пековский стал директором нашего «Алгоритма». Его выбрали на альтернативной основе, предпочтя правдолюбцу Букину. Почему? Ну, во-первых, ему пошло на пользу то великодушество, с которым он помогал мне поехать в Париж. Во-вторых, Пека вовремя развелся с дочкой бывшего зампреда и даже выступил на собрании с разоблачениями этой коррумпированной семейки. В-третьих, нашим вычислительным дамам нравятся дорогие одеколоны Пековского.

Алла вышла за него замуж и родила девочку, такую же, говорят, красивую и нежную, как она сама. И еще, говорят, Пековский часто со смехом рассказывает, как его жена, будучи в Париже, вместо того чтобы купить дубленку, все деньги потратила на «Вдову Клико». Кстати, Алла ушла со службы, воспитывает детей, и я даже не знаю, как она теперь выглядит. Только однажды мне удалось рассмотреть сквозь затемненные стекла черной директорской «волги» какой-то смутный женский силуэт. Но вполне возможно, это была и не Алла, а очередная одинокая дама, пользующаяся бескорыстной гормональной поддержкой Пековского.

А я по-прежнему работаю в «Алгоритме», в той же должности, но с надбавкой. Поначалу мне, правда, передавали предложения директора, чтобы я поискал себе новое место. Но рядом с «Рыгалето» программистских контор больше нет, а менять привычки и привязанности почти в сорокалетнем возрасте нелепо. Постепенно Пека смирился с моим присутствием и даже стал поручать мне ответственные задачи. Сейчас, например, мастерю систему, которая будет просчитывать коэффициент устойчивости правительства. Условное название — «Хас-Булат».

После моего возвращения из Парижа Вера Геннадиевна стала относиться ко мне бережливее и даже решила, что в случае чего можно завести и второго ребенка. А вот долгожданную дубленку носить она не захотела, сказала, что жмет в проймах, и продала своей сплетнице-подружке. Что еще? Вике постоянно звонят разные сопливые ухажеры, к телефону не пробьешься, из-за этого она в постоянных контрах с матерью, и та в отместку не разрешает ей пользоваться своей косметикой. Тараканов я все-таки повывел: подо-

брал замечательную отраву из восьми ингредиен-
тов. Наша квартира теперь, наверное, в их, тараканьей, картине мира называется «Страна погиб-
ших братьев» или еще как-нибудь в этом роде.
Кстати, недавно я прочитал, что парижские оте-
ли страдают от невиданного нашествия прусаков.
Может, организовать совместное предприятие
и заработать валюту? По этому поводу надо выпить еще! Моя кружка вмещает две порции.
А ваша?..

КАК Я ПИСАЛ
«ПАРИЖСКУЮ ЛЮБОВЬ...»

Должен сознаться, поначалу я хотел озаглавить эту повесть «Французская любовь». Мне очень нравилась двусмысленная пикантность такого названия. Я взялся за нее после шумного успеха «Апофегея» (1989), обусловленного, как полагал один критик, «не только разоблачительной сатирой на партийных карьеристов, но и дерзкими эротическими эпизодами», которые — добавлю от себя — нынче «дерзкими» сочтет разве что человек, впавший в 89-м году в летаргию и очнувшийся лишь в наши дни.

К тому времени я, уже побывав «могильщиком комсомола» и «клеветником армии», вдруг стал неожиданно для себя самого «сокрушителем

245

советской бесполости». Сегодня, когда мне попадаются на глаза рецензии тех бузотерских лет, я поражаюсь тому, как мы были жестоки и несправедливы к обществу, в котором не очень худо и не так уж бедно жили. Ну в самом деле, какими бы бесполыми ни выглядели граждане СССР, а население тем не менее постоянно увеличивалось. Зато в наше чрезвычайно сексуальное время народ убывает со скоростью миллион человек в год.

Но в ту пору казалось, если сильно пошуметь, то жизнь в целом сразу станет богаче, а половая жизнь, в частности, — ярче и содержательнее. Увы, воспитанные на идее неотвратимого, как смерть, прогресса, мы не понимали, что жизнь гораздо проще ухудшить, нежели улучшить, а от чрезмерного шума, по примеру библейского Иерихона, могут и стены рухнуть. Собственно, это и произошло в 1991 году, вскоре после того как «Юность», возглавляемая в ту пору Андреем Дементьевым, опубликовала «Парижскую любовь Кости Гуманкова». Любопытно, что государства рушатся от «сытых бунтов» чаще, нежели от голодных...

Берясь за эту повесть, я был полон, как сказал поэт, «веселой злобы» и стремления еще раз подтвердить свое лидерство среди тех, кого сегодня я бы назвал критическими романтиками, а также желания удостоверить первенство в нарождавшейся советской эротической прозе. (Задача, достойная зазнавшегося подмастерья!) А тут как раз придумалось и такое изюмистое название — «Французская любовь». Но где, где, мучился я, свести мне героев в «поединке роковом», который теперь, благодаря душке Горбачеву, можно было, отринув многоточия, отобразить со всей прямотой позднесоветского раблезианства. Это ведь только с годами понимаешь: вовремя поставленное многоточие — самый верный признак настоящего мастерства...

И тут меня осенило — в Париже! «Подумаешь»! — молвит читатель, наслышанный, что сегодняшний Париж оглашается пьяными матюками «новых русских» гораздо чаще, чем звуками, которые издают не чуждые алкоголя франкофоны. Но я прошу вернуться в 89-й год, когда выезд за рубеж еще многим казался чем-то средним между рейдом в тыл врага и ознакомительной экскурсией по райским кущам. Мне к тому времени удалось побывать в нескольких загранкомандировках в разных странах. Я очень хорошо помнил тот холодок в груди, когда руководитель группы, насосавшись валидола, совершенно серьезно обещал за опоздание к месту сбора сделать меня «невыездным». Он ведь мысленно записал меня в невозвращенцы и готовил оправдательную речь, чтобы парткомиссия ограничилась вынесением ему выговора без занесения в учетную карточку. А как трепетало мое сердце, когда я проносил через таможню мимо бдительных стражей затаившиеся в душных недрах набитого чемодана бунинские «Окаянные дни»! Страну с истошной бдительностью оберегали от эмигрантских книжек, а надо бы беречь от книжников и фарисеев с партбилетами в карманах. Кто знает, может быть, эта осточертевшая всем бдительность и была задумана исключительно для того, чтобы всем осточертеть? Но как говорится, хорошо быть мудрым на следующее утро!

Кстати, тема «русские за границей» — одна из самых распространенных в отечественной литературе. А какие авторы — Карамзин, Тургенев, Достоевский!.. Читая их, я, советский человек не в самом худшем смысле этого слова, поражался, как спокойно и уверенно чувствовали себя за границей они сами и их герои. После революции ситуация изменилась: русские за границей жили, а советские туда ездили. Впрочем, не все — Булгакова так и не выпустили. Зато другие, Эренбург например, оттуда просто не вылезали, но исключительно для того, чтобы вести идеологические битвы. Произведения этих авторов наполнены длинными спорами доказательных советских командированных с постепенно прозревающими западными интеллигентами. Читать эти диалоги было смешно уже тогда, и, в сущности, в них запрограммировано наше грядущее поражение в «холодной войне».

Однако во все времена тема «русские за границей» несла в себе изрядный заряд юмора и самоиронии. Напомню хотя бы замечательно смешную «макароническую» поэму Ивана Мятлева «Сенсации и замечания госпожи Курдюковой»:

В стороне здесь город Бонн,
Город маленький и тесный.
Университет известный
Здесь устроен, а при нем
Тут же сумасшедший дом...

Но мадам Курдюкова была смешна и нелепа по причине своей жизнерадостной глупости. Мы же, советские люди, прибывшие за рубеж, были нелепы совсем по другой причине. Разве не смешон знаменитый писатель, перебирающий в кармане валюту, которой хватит на три порции мороженого? Разве не забавен грозный столоначальник, дрожащий, как нашкодивший мальчишка, под взглядом приставленного к нему «куратора»? А разве не уморителен знаменитый ученый, неумело торгующий матрешками, чтобы прибарахлиться в «Тати»?

Суровая и часто навязчивая заботливость советского государства привела к формированию народа-дитяти, а наш нынешний рывок в рынок есть не что иное, как новый крестовый поход детей. Итоги первого похода общеизвестны, результаты второго также уже очевидны. Да, профессор, шкодливо толкающий гостиничному портье банку черной икры, чтобы купить жене модную кофточку, а своей молоденькой аспирантке — соблазнительные трусики, это смешно и унизительно. Но профессор, стреляющий себе в сердце из охотничьего ружья, потому что гибнет дело всей его жизни — наука, потому что аспирантка пошла на панель, а жена сидит полуголодная, — это страшно и подло!

Впрочем, тогда я все еще хотел написать эротическую повесть с элементами резкой критики свинцовых мерзостей советской действительности. Шел 90-й год. Газеты и телевизор все настойчивее убеждали меня в том, что я — «совок» и живу в «бездарной стране», являющейся к тому же еще «тюрьмой народов» и «империей зла». Ирония и сарказм, взлелеянные моим литературным поколением для борьбы с идеологически выверенной дурью, вдруг, буквально на глазах, превратились в стиль общения средств информации с народом. Ухмыляющийся и двусмысленно подмигивающий плешивый теледиктор с кривыми зубами стал символом времени. Если, например, в газете сообщалось, что на Домодедовском шоссе, врезавшись в грузовик, погиб генерал, то непременно добавлялось: «...удар был такой силы, что от военачальника остались одни лампасы». Ежедневно, в крайнем случае через день, газеты дарили меня беседой с очередной «ночной бабочкой», объяснявшей, что большинство мужчин предпочитают позицию «крупада», а вот «миссионерскую» почему-то не уважают.

И я вдруг понял, что мне совсем не хочется писать эротико-разоблачительную повесть, а хочется написать просто повесть о любви. Да, потерянной, да, утраченной, но совсем не по вине Советской власти, которая в свои худшие времена могла жестоко разлучить любящих людей —

ведь теряют любовь люди исключительно по собственной вине, и политический строй тут ни при чем! Я изменил плейбойское, а скорее даже — плебейское название «Французская любовь» на другое — «Парижская любовь Кости Гуманкова». И еще я осознал, что в окружавшей меня жизни, конечно, много нелепостей, но большинство из них заслуживает лишь снисходительной улыбки, а не ненависти.

Это очень разочаровало некоторых вчерашних моих хвалителей, мгновенно превратившихся в хулителей. Ведь от меня ждали вклад в «науку ненависти», в которую за последнее десятилетие, по-моему, вложили денег больше, чем во все остальные науки и искусства, а я взял да написал добрую, смешливую, снисходительную повесть о неуспешной любви. О! Как же это не понравилось! Особенно критикам, видевшим в тогдашней литературе исключительно стенобитную машину для сокрушения «империи зла». Ни одна моя вещь, кроме «Демгородка», не вызвала таких критических залпов со всех сторон. Я был похож на голубя, принесшего оливковую ветвь на ковчег в тот момент, когда его обитатели, перессорившись, дрались стенка на стенку. Надеюсь, читателям, пережившим и путчи, и танковую стрельбу в центре столицы, и шоковую терапию, и хроническое беззарплатье, и прочее, совершенно невообразимое в прежние времена, теперь стало ясно, кто был прав в том давнем споре!

«Парижская любовь...», выпущенная большим тиражом, мгновенно разошлась и даже была переведена во Франции. Издательство «Ашет» пригласило меня на презентацию в Париж, а французское телевидение представило мою повесть зрителям в одной программе вместе с нашумевшей книгой о знаменитом актере и режиссере Робере Оссейне, больше знакомом нам в качестве графа де Пейрака — мужа красотки Анжелики. Нас познакомили, и Робер Оссейн на вполне приличном русском (его родители из России) решительно сказал:

— Давай, слушай, адрес! Я пришлю тебе колбасы...

— Зачем?

— Как зачем? У вас же, слушай, голод!

— У нас нет голода. Дефицит — да, имеется... в отдельных случаях.

— Точно? — Робер Оссейн был явно разочарован.

— Точно...

Вот, собственно, и вся история. Остается добавить, что по прочтении повести на меня обиделись жены моих друзей и знакомых, носящие имя «Вера» или имеющие отчество «Геннадиевна». Прочитав повесть, вы поймете — почему. Моя жена, с которой я к тому времени состоял в браке уже пятнадцать годков, задала мне несколько внешне невинных, но довольно коварных вопросов, призванных прояснить, а уж не сам ли я и являюсь прототипом Кости Гуманкова. Но я успокоил ее, показав записку со словами «Привет от прототипа!». Записку во время творческого вечера прислал мне из зала один приятель юности. Но на самом деле я имел в виду совсем не его. Я лишь воспользовался его фамилией «Гомонков», поменяв первое «о» на «у» и «гуманизировав» ее таким образом... Кстати, после выхода повести я получил несколько писем от «прототипов», удивлявшихся, откуда я так хорошо осведомлен о тайной драме их личной жизни. «А может быть, — иной раз приходит мне в голову, — неведомый читатель, упорно полагающий себя прототипом твоего героя и, вероятно, поэтому раскупающий твои книжки, и есть главная награда писателю за труды?» Кто знает...

Юрий ПОЛЯКОВ.

СОДЕРЖАНИЕ